IN BETWEEN

MARIE DEMERS

IN BETWEEN

ROMAN

Hurtubise

Catalogage avant publication de Bibliothèque et Archives nationales du Québec et Bibliothèque et Archives Canada

Demers, Marie, 1986-

In between

Texte en français seulement.

ISBN 978-2-89723-751-6

I. Titre.

PS8607.E56315 2016 C843'.6 C2015-942264-7
PS9607.E56315 2016

Les Éditions Hurtubise bénéficient du soutien financier du gouvernement du Québec par l'entremise du programme de crédit d'impôt pour l'édition de livres et de la Société de développement des entreprises culturelles du Québec (SODEC). L'éditeur remercie également le Conseil des arts du Canada de l'aide accordée à son programme de publication.

Financé par le gouvernement du Canada
Funded by the Government of Canada | Canada

Conception graphique : René St-Amand
Photo de la couverture : Ève Tagny
Mise en pages : Folio infographie

ISBN : 978-2-89723-751-6 (version imprimée)
ISBN : 978-2-89723-752-3 (version PDF)
ISBN : 978-2-89723-753-0 (version ePub)

Dépôt légal : 1er trimestre 2016
Bibliothèque et Archives nationales du Québec
Bibliothèque et Archives Canada

Diffusion-distribution au Canada :
Distribution HMH
1815, avenue De Lorimier
Montréal (Québec) H2K 3W6
www.distributionhmh.com

Diffusion-distribution en Europe :
Libraire du Québec/DNM
30, rue Gay-Lussac
75005 Paris FRANCE
www.librairieduquebec.fr

Imprimé au Canada

www.editionshurtubise.com

À mon père, Michel Marcil.

PREMIÈRE PARTIE

Blackbird

Un tuyau vomit nos bagages sur le tapis roulant. Toutes les valises se ressemblent. Des rectangles noirs ou bruns à roulettes.

J'attends mon gros sac à dos kaki.

Ma mère est là, derrière les battants. Même pas besoin de me retourner pour le savoir. Je sens sa présence le long de ma colonne vertébrale, comme un frisson. Elle va me serrer fort et je devrai lui rendre son étreinte, lui dire que je vais bien, prendre de ses nouvelles.

J'aurais voulu ne jamais atterrir. Faire une overdose de comédies romantiques et de repas compartimentés. En avion, le choix le plus difficile, c'est celui du repas. Bœuf, poulet ou végé ? Je vais prendre le poulet, madame l'hôtesse de l'air. Ça a beau être dégueulasse, c'est le fun à manger. Tu te développes une stratégie pour bien régir l'ordre d'absorption de la nourriture. La p'tite salade en premier ? À moins que tu ne sois assez wild pour commencer par le dessert ? Gère bien ton poivre ; il n'y en a pas beaucoup. Je me demande bien pourquoi ils en mettent si peu dans les sachets. Tu poivres plutôt le riz ou le poulet ? Puis, quand tu verses le sel, vas-y doucement, fais bien attention pour en saupoudrer un peu partout. Sauf sur le pudding jaune au coin nord-ouest du plateau. Il faut beaucoup de minutie, de technique, de stratégie même. Manger de la bouffe d'avion, ça exige énormément de concentration. C'est comme jouer aux échecs.

Mon Ariane,

Comment tu vas ? Encore des problèmes de digestion ?

Moi, c'est mes genoux qui me font souffrir ! Hier, on a fait une centaine de kilomètres en pleine canicule. J'ai attrapé un énorme coup de soleil sur les épaules. Je l'ai pris en photo pour te montrer. Tu vas rire de ton vieux père. Aujourd'hui, on arrive à la Baie des Chaleurs. J'espère que mes pattes tiendront jusque-là.

Ton père qui t'aime

Mon père m'écrit plusieurs fois par semaine, même si je sais qu'il « ha-*yi* ça pour mourir ». Je l'imagine taper, supprimer, retaper, effacer encore, hésiter à mettre un *c* majuscule à « Baie des chaleurs ». Ses courriels, c'est sa façon à lui de faire la paix. Ou du moins, de la demander. On s'est chicanés juste avant mon départ. Toujours le même conflit. Avec ma belle-mère qui tient la vedette. The Wicked Witch of the West (elle habite dans le West Island). Mon père aime s'entourer de femmes autoritaires, des Germaine qui le tiennent en laisse. Papa beau chien doux. Il me semble qu'après 22 ans de mariage raté, tu te cherches un nouveau modèle de blonde.

On va revenir à peu près en même temps : lui, de son grand tour de la Gaspésie, moi de mon voyage en Asie. J'ai hâte de le retrouver, juste lui et moi en tête-à-tête. Un rendez-vous galant père-fille. Quand c'est juste nous deux, il n'y en a pas, de problème.

Les cheveux roux de ma mère détonnent dans la foule. *Roux* est un euphémisme bien banal pour décrire sa teinture.

Le terme *orange* serait sûrement plus approprié. J'ai envie de me cacher, mais je sais qu'elle aussi m'a vue.

J'ai à peine passé les portes coulissantes qu'elle saute déjà dans mes bras. Elle a pleuré. Et elle recommence. Je me sens toute sèche de l'intérieur. Maman se colle et, réticente, j'abandonne mes bras mous autour de ses épaules.

— Cocotte…

On reste là, immobiles quelques instants avant que je ne la repousse doucement. Elle tient son visage tout près du mien, trop près.

— T'as maigri, Ari.

Je ris.

— T'sais, Denise, une diarrhée de trois mois, ça te fait fondre une femme !

Elle fronce les sourcils. Denise était contre mon départ pour l'Asie. « Une fille de 21 ans toute seule, voyons donc ! » La réplique : « M'man, j'habite en appart depuis que j'ai 17, y a plein de filles qui partent toutes seules comme moi, pis c'est ultratouristique la Thaïlande » n'avait pas fait son chemin. C'est papa qui avait tranché : « Laisse-la donc faire, Denise. Elle est majeure. »

Je clique sur *Boîte de réception*, j'efface les pourriels, réponds aux messages d'amis et garde ceux de ma mère pour la fin, histoire d'en différer la lecture. A bittersweet desert. Bitter, surtout.

> Mon Ari,
>
> Je m'ennuie tellement de toi ! Ton grand-père te suit sur la mappemonde et il parle de toi sans arrêt. C'en est presque fatigant ! Il me dit que tu es rendue au Viêt Nam après un long trajet en autobus ?

Je suis inquiète, cocotte. Pourrais-tu donner un peu plus de nouvelles à ta mère préférée?

Moi, je vais bien. Il fait pas très beau ici. J'ai changé de place tous les meubles de la maison et j'ai acheté des nouveaux tapis en plus d'un beau grand miroir pour mettre dans l'entrée. J'ai hâte de te montrer, tu vas trouver ça beau, je pense.

Je t'aime,
Bec,

Maman

Il y en a un autre d'elle. Deux dans la même journée, c'est un peu intense. Du Denise tout craché.

Ariane,

Je dois absolument te parler. C'est urgent. APPELLE-MOI, à n'importe quelle heure du jour ou de la nuit. Tu peux me joindre sur mon cellulaire, je le garde sur moi tout le temps.

Ta maman xxx

Dramatisation numéro un million. Ma mère a un talent unique pour s'inventer des catastrophes. N'empêche, mon cœur se serre en pensant à mon grand-père. Tout d'un coup que... Les grands-parents, tu le sais, ils vont mourir bientôt. Seul le «quand» est incertain. Ma mère me répète continuellement que je dois profiter de sa présence «tant qu'il est encore là». Elle l'avait même utilisé comme alibi pour me retenir: «Tu sais qu'il ne lui reste plus beaucoup de temps, Ari... Trois mois, c'est long. Il peut arriver tellement de choses...» Manipulation denisesque: utiliser mon grand-père mourant comme moyen de pression antidépart pour l'Asie. J'étais impressionnée. Elle n'a vraiment pas de scrupules, ma mère.

Mon estomac gargouille et j'ai soif. La dernière chose dont j'ai envie, c'est d'entendre sa voix.

Un ventilateur poussiéreux tourne paresseusement dans mon dos, collant mon t-shirt trempé contre ma peau. Je dois aller essayer ma robe chez le tailleur pour les dernières retouches. « It's the last fitting », a confirmé l'Asiatique à la voix stridente. Pour la première fois, je posséderai une robe faite sur mesure, cinderella-style. La ville d'Hō An est réputée pour ses tailleurs. La plupart des touristes s'y arrêtent le temps de se concevoir une nouvelle garde-robe. Ils envoient ensuite leurs fringues toutes fraîches par bateau et, de retour à la maison, leurs beaux habits les attendent gentiment. Du sur-mesure pour des pinottes.

Je relis à l'écran les trois lignes écrites par ma mère. Ce n'est peut-être pas *vraiment* urgent. Ça serait tellement son genre d'alerter les autorités pour une affaire d'ongle cassé. Je me rappelle la fois où elle m'avait téléphoné, complètement paniquée à l'idée de monter toute seule son nouveau meuble IKEA. Je devais me rendre chez elle ASAP pour l'aider. J'avais commencé par refuser : « On fera ça demain, maman, j'ai un cours dans une demi-heure, c'est pas pressant. » Mais elle avait tellement insisté que j'avais manqué mon cours pour assembler son ostie de meuble.

Près du poste d'ordinateur, trois cabines téléphoniques me font des clins d'œil. La carte d'appel achetée deux mois plus tôt traîne dans mon portefeuille, encore inutilisée. Je gratte le code au verso et me dirige en soupirant vers une cabine.

Sa voix me parvient de loin. «White noise», qu'ils appellent ça, les Anglais. Un genre de bourdonnement qui se fond dans la masse des sons. Ma mère, c'est une bande sonore à laquelle on ne doit pas trop prêter attention. Sinon, on risque des dommages psychologiques importants. Peut-être même physiologiques également.

Sa remarque sur ma perte de poids est la première et dernière référence au fait que je suis partie presque trois mois en Asie du Sud-Est. Ça m'arrange ; je n'ai pas trop envie de résumer plusieurs semaines d'exil en une phrase punchée.

— Le service commence à 8 heures demain matin. J'ai averti quelques-uns de tes amis. Je sais que ton ami Jules se charge d'inviter les autres et d'organiser le transport. Karine a une camionnette avec laquelle elle pourra emmener cinq ou six personnes. Ton grand-père arrive ce soir. Tu préférerais sûrement retourner chez toi, mais il y a encore tellement de préparatifs et je vais avoir besoin de ton aide... Si tu pouvais dormir à la maison pour les prochains jours, ça ferait vraiment mon affaire, Ari. Une semaine. Dix jours, gros max. Tu sais pas comment c'est du travail, tout ça, cocotte. Pis ta belle-mère pourrait difficilement être moins aidante...

— Elle s'appelle Diane, maman.

Une chance que ma mère ignore quels pseudonymes affreux j'ai inventés pour désigner ma belle-mère en son absence. Ça me permet de lui reprocher son propre manque de politesse à l'égard de Diane. En ce qui me concerne, je me donne droit aux bitcheries parce que JE n'ai rompu avec personne, parce que JE n'ai brisé aucun cœur, aucune promesse de «ever after». Selon Jules, je suis tout simplement jalouse. Il a probablement raison : je n'aimerai jamais les femmes choisies par mon père. La preuve : je ne suis même pas certaine d'approuver le choix de ma propre génitrice.

Je compose sans me tromper les 14 chiffres inscrits au dos de la carte d'appel. Il fait un peu sombre dans la cabine et des gouttes de sueur me brûlent les yeux.

Ça sonne. Je prie intérieurement pour tomber sur la boîte vocale, mais elle décroche au deuxième coup.

— Ari !

— Allô, maman.

— Ça va ? J'ai reconnu la sonnerie spéciale des interurbains. J'ai tout de suite pensé que c'était toi…

Sa voix est rauque au bout du combiné. Rapidement, je fais le calcul. Il est cinq heures du matin à Montréal.

— Désolée d'appeler si tôt. Ça avait l'air urgent.

— Ça l'est, Ari. Merci d'avoir téléphoné. T'es où là? Tu vas bien ?

— Oui, oui, tout baigne. Je suis dans un café Internet à Ho An. Je viens de lire tes messages…

Silence. Ma mère muette : une denrée rare. J'ai la gorge sèche et je ne sais plus si c'est parce que j'ai soif. J'attends une bonne trentaine de secondes, mais elle ne dit toujours rien.

— Ça va, toi, maman ?

— Non, pas vraiment, Ari.

— Tu t'es fait mal ? T'es malade ?

— Nononon. C'est pas moi, Ari.

Fuck. Une grosse boule grimpe le long de ma gorge. Grand-papa… Je m'en veux tout à coup d'être aussi loin. S'il est mort pendant que je suis partie…

— C'est grand-papa ? Il a fait une autre attaque ?

— …

— Maman !

— Non, Ari, ton grand-père va bien.

Ouf, merci Jésus ! Chaque fois que je fais un vœu et qu'il se trouve exaucé (en l'occurrence : « Faites que mon grand-père soit encore en vie »), je remercie le Seigneur. Je retrouve mes clés : « Merci Jésus ». Je saute dans le wagon de métro avant que les portes ne se referment : « Merci Jésus ». Je ne sais pas pourquoi. Ça doit être l'héritage catho. La religion aurait infesté malgré moi mon âme durant mon baptême ou ma première communion.

— Alors, maman, qu'est-ce qui va pas ?

Ce n'est pas dans ses habitudes de me faire languir. *Il se passe quoi, merde ?* Denise est toujours la première à annoncer les nouvelles, bonnes ou mauvaises. Elle fait peut-être exprès pour maximiser l'effet de surprise. À ce rythme-là, les minutes de ma carte d'appel seront expirées avant qu'elle ne m'explique ce qui se passe.

— Maman, j'angoisse, là. Accouche, s'il te plaît ! Tu me stresses. Je suis toute seule dans un café Internet à l'autre bout du monde, tu m'as demandé de t'appeler au plus sacrant, je l'ai fait, pis je veux savoir c'est quoi le problème.

Un long silence encore. J'essuie la sueur sur mon front et je me rends compte que je ne veux plus vraiment entendre ce qu'elle a à m'apprendre.

Si au moins elle était là. Devant moi. J'haïs ça. J'ai peur tout à coup. Faites que tout aille bien. Faites que ça ne soit rien.

— Ariane, ton père est mort.

J'ai raccroché. Ostie de mère folle ! Mon père *vient* de m'écrire. Je sors de la cabine et me dirige de nouveau vers le poste d'ordinateur.

Ariane, t'as raccroché. Ta mère t'annonce ça et tu raccroches. Et si c'était vrai, câlisse d'épaisse? C'est sûrement vrai. C'est vrai, Ariane.

Une lame de panique me transperce la poitrine. La peur me chavire le ventre. Je dois la rappeler.

Aux ordinateurs, une Française skype avec son amoureux, la bouche arrondie sur des mots doux. Une États-Unienne gesticule dans la cabine téléphonique voisine de la mienne. Elle a «bootylicious» d'écrit en mauve sur le derrière. She looks stupid. La porte du café carillonne joyeusement quand un garçon la pousse pour entrer. Il avance dans un sarouel gris, le même genre de culottes d'Aladin que tout le monde porte en Asie. Ses longs cheveux sales de hippie sont retenus en boule par un élastique fluo. Il s'apprête à utiliser MON poste téléphonique. Je l'intercepte avant.

— Oh, I'm sorry, I'm using it.

— There's another one right there.

— Yes, I know... But I need this particular one. It's mine.

Il hausse les épaules, me dévisage comme si j'étais handicapée mentale et ouvre la porte de la troisième cabine, adjacente à celle de la fesse-licieuse américaine.

Mes mains tremblent et, cette fois, je dois m'y reprendre à cinq reprises pour composer avec succès les chiffres de la carte, le code international et le numéro de cellulaire de ma mère. Mon voisin hippie m'épie du coin des yeux, derrière la vitre de son poste. Je m'aperçois à ce moment que de grosses larmes dégoulinent sur mes joues. Des ronds de sueur sont apparus entre mes seins, dans le bas de mon dos, sous mes aisselles. Recroquevillée dans un coin de la cabine, je pose mon visage contre la vitre, à l'endroit où les États-Unis me tournent le dos.

La ligne est occupée. Sacrament!

La panique se répand comme la gangrène. Dans ma gorge. Dans mes poumons. J'ai du mal à respirer, j'ai l'intérieur qui me démange et qui brûle.

Je chuchote «papa» dans un sanglot.

Ça sonne. Occupé. Toujours occupé. Je raccroche chaque fois un peu plus brusquement et le combiné vacille sur son socle. L'Asiatique qui surveille la boutique m'observe avec des yeux menaçants. Il ne sait rien, lui, il ne comprend rien.

Enfin, Denise décroche.

— Ari?

— Maman?

— Cocotte, j'étais tellement inquiète!

— Moi aussi! Pourquoi tu répondais pas?

— Je pensais que tu rappellerais plus tard, ma belle. J'imaginais que tu avais besoin de digérer la nouvelle à ton rythme. Que tu absorbais le choc... J'étais au téléphone avec la compagnie aérienne. Ça fait 10 heures que j'essaie de te trouver un vol de dernière minute pour Montréal.

Un bref soulagement m'envahit. Quelqu'un s'occupe de moi. Je ne suis pas complètement toute seule. Elle est un peu là.

— C'est vrai, maman? T'es sûre, pour papa? Tu... tu me le jures?

— Je te le jure, Ari. Je suis tellement désolée, ma belle! Tellement, tellement... Je l'aimais aussi, ton père.

Elle parle déjà au passé. «Je l'aimais.» Ben moi, je l'aime encore, criss. Je ferme les yeux. Il est mort. Mon père est mort. Je me mets à pleurer pour vrai. Des gémissements irrépressibles, profonds et brisés sortent de ma gorge. Des plaintes aiguës de chatte blessée. Ma mère tente de me calmer au bout du fil en chuchotant. Tous les clients du café

Internet me fixent. Je m'en fous. Ils ne savent rien, eux, ils ne comprennent rien.

— Maman, je peux pas rester ici toute seule. J'ai peur, là. Je capote. Ostie, me semble que ça se peut pas. J'ai 21 ans. C'est pas....

Je sais que ça ne marche pas comme ça. Que ce que je vais dire ne veut rien dire.

— C'est pas juste, maman.

Ma voix se brise. J'ai 21 ans et je n'ai plus de père. J'ai encore besoin de mon père. J'ai besoin de mon père.

— Je sais, ma belle. Je suis là, t'es pas toute seule. Le vol est réservé. Tu reviens dans deux jours. Tu pars demain soir pour Hō-Chi-Minh. Puis, tu voles de Hō-Chi-Minh à Hong Kong et de Hong Kong à Chicago. Ça fait beaucoup d'escales, je sais, mais tu seras enfin à Montréal. Je t'envoie ton billet électronique par courriel et...

Je n'écoute plus. Au moins, je ne resterai pas ici, seule en Asie du Sud-Est. Je ferme les yeux et j'essaie très fort de le voir, mon papa, de le dessiner dans ma tête. Mais mon imagination est défectueuse et je n'arrive pas à reconstituer ses traits. Ma mère radote encore sur mon itinéraire, mais je ne l'entends plus. Des larmes pleuvent de mes yeux, de la morve mouille mes lèvres et une chanson triste de Barbara se met à tourner en boucle dans ma tête. Sa voix plaintive qui, toute jeune, me donnait tant de frissons. Ma mère la faisait jouer durant les longs trajets en voiture vers notre chalet des Cantons-de-l'Est. Je ne me souviens plus du titre. Quelque chose avec le mot *pluie*, il me semble. Je me rappelle seulement les derniers mots: « Mon père, mon père ».

Je me regarde une dernière fois dans le miroir avant de pousser la porte de la salle de bains. Avec le soleil du

Viêt Nam, mes taches de rousseur se sont multipliées, inondant mon visage, mes bras, mes jambes. J'ai la varicelle de l'été. Je m'imagine relier les taches entre elles pour en faire des dessins. Au pied des escaliers, Jules m'attend, l'air nerveux. Il tapote la rampe, gratouille le bois vieilli. Je me racle la gorge et il lève les yeux pour me regarder descendre langoureusement les marches. Mon ami me siffle avant de pousser un cri d'indigène.

— Ayayayayaye !

Je m'arrête à quelques mètres de lui pour prendre une pause cochonne à la Elizabeth-Megan Fox-Taylor. En riant, il feint de dissimuler une érection naissante. Une chance qu'il est là, mon Jules. Le bustier de ma robe en taffetas noir me serre les flancs. À la hauteur du nombril, la jupe part en vrille, comme un tutu de ballerine. Je me dis que lorsque je reprendrai les kilos perdus en Asie, je ne pourrai plus la porter. De toute façon, je ne crois pas que j'aurai envie de la remettre un jour.

Je m'écrie, en pointant ma petite poitrine compressée dans la robe :

— T'as vu ? T'as vu ? Eille ! J'ai presque une craque de seins !

Jules me fait un clin d'œil exagéré.

— Not there yet, Ari, mais on va prier ensemble pour une seconde puberté, OK ? Non mais, sincèrement, t'es super belle. Elle sort d'où cette robe ? C'est nouveau ?

— Straight from Asia, my friend. Custom made. That's how jet-7 I am.

Je lui tire la langue. Jules, c'est mon meilleur ami et ma seule relation avec l'Autre Sexe totalement dépourvue d'ambiguïté. On n'a jamais couché ensemble. On ne s'est même pas frenchés. Zéro échange de salive malgré nos états passés d'ébriété. D'accord, on a bien déjà dormi dans le même lit, mais tout habillés et chacun de son côté, même pas de caresses, genre qu'il y avait au milieu une barrière infranchissable d'amitié toute-puissante.

Jules a l'air homo. Le truc, c'est qu'il ne l'est pas. Du tout. Les gens qui le connaissent mal voudraient le faire entrer dans une boîte bien étanche en lui collant l'étiquette *tapette* sur le front. C'est vrai qu'il est un peu efféminé : longues jambes, taille fine, grands yeux pâles ornés d'épais cils noirs et un visage lisse, parfaitement imberbe. Il m'a un jour avoué qu'il achetait ses skinny jeans dans la section féminine du American Apparel.

N'empêche, il est sorti avec de maudites belles filles. Je me rappelle avec une pointe de jalousie la Sud-Africaine bronzée, même l'hiver, ou la Serbe aux cheveux longs jusqu'aux fesses. He likes them international. C'est égoïste, mais je n'ai pas trop envie de partager mon Jules avec des mannequins potentiels. Même si ce n'est rien qu'un ami.

Denise débarque vêtue d'une longue robe rose. Des boucles d'oreilles brillantes pendent à ses oreilles en faisant gueling gueling. Pas capable de rien faire comme les autres, ma mère. On porte du *noir* à des funérailles, sacrament. Ses excentricités m'irritent. Je les reçois comme une attaque personnelle. Si l'indifférence est habituellement un défaut, pour moi, avec ma mère, ça deviendrait une qualité.

— Woooow, t'es tellement belle, Ari ! Je pense que Jules ne pourra bientôt plus te résister…

Ma mère est convaincue que Jules est gai. J'ai beau lui avoir répété mille fois que ce n'est pas le cas, elle ne peut s'empêcher de partager ses allusions douteuses, remarques apparemment inoffensives au fait qu'étrangement, nous ne sommes qu'amis. Selon elle, l'amitié entre fille et garçon est impossible. Elle ne comprend d'ailleurs ni comment ni pourquoi Jules ne succombe pas « à une belle fille comme

[m]oi». C'est drôle; même si mon comportement ne semble jamais la satisfaire totalement, je reste, pour elle, la plus belle des filles du monde. (Nota bene/Post-scriptum/Addenda: je ne suis pour elle, toujours pas une *femme*, je reste une fille. À 21 ans, on penserait pourtant pouvoir mériter le titre.)

— Vous êtes prêts, les cocos?

On croirait qu'elle s'apprête à nous emmener manger un cornet au Dairy Queen. Deux grosses molles au chocolat pour les cocos. Un yogourt glacé framboise-pêche pour la grande. On dirait une jeune maman dans sa tunique d'été. Je pense: elle *est* une jeune maman. Dans sa tenue inappropriée.

— Écoute, Denise, nous, on va prendre la voiture de Jules.

Jeune maman devenue enfant, déçue, grimace.

— Ari, là, j'ai pas envie d'y aller toute seule! Puis, tu me connais: je vais me perdre!

— On va sûrement devoir ramener certains de mes amis après le service. Je veux pas qu'ils se tapent l'aller-retour Montréal-Laval en autobus. C'est mieux de prendre les deux voitures.

Je la vois lutter pour se reconfire la mine.

— Bon. D'accord. Garde ton cellulaire tout près. Je vous appelle si je trouve pas.

Ça fait trois fois en trois jours qu'elle se rend au salon funéraire à Laval pour assister aux (régenter les) préparatifs. J'imagine que c'est sa façon à elle de faire face au décès de son ex-mari; prendre le rôle de l'organisatrice, de l'arrangeuse funéraire spécialiste en pompes funèbres. Elle le sait très bien où il est, le salon, et moi, j'ai besoin d'air. J'ai tellement besoin d'air.

Jusque-là, je n'y pensais plus. Je veux dire: ça me paraissait encore irréel. Mon père ne pouvait pas mourir. Notre père ne meurt pas. Ceux des autres parfois, mais jamais le nôtre. Et surtout pas sur un vélo, en Gaspésie, alors que sa fille s'est sauvée dans un autre hémisphère. La réalité de la chose me frappe quand j'aperçois Diane, les traits tirés, la mine abattue, défaite. Tout son corps semble la tirer vers le sol, comme si ses épaules ne parvenaient plus tout à coup à supporter la pression atmosphérique. De gros cernes marron assombrissent son regard gris. Elle a maigri, ce qui la fait encore plus ressembler à la Wicked Witch of the West.

Jules cherche ma main à tâtons pour la serrer, mais j'ai les bras croisés sur ma poitrine. Je n'ai pas envie qu'on me touche. Ma mère, qui pensait se perdre, est déjà là, arrivée bien avant nous. Elle se tient debout, droite, près de la sorcière. Denise et Diane. C'est drôle, quand même. Comme une taille de bonnet trop grand : double D. Justement, ces femmes-là sont vraiment too much. Et je dois endurer quotidiennement leurs gargantuesques personnalités. Oh, chanceuse de moi !

J'ai l'impression que l'Univers entier se trouve ici, contenu dans le salon funéraire, et qu'il me regarde. Moi, la fille qui a perdu son père. Les paris sont ouverts. Pleurera-t-elle ? Hurlera-t-elle ? S'effondrera-t-elle sous le choc ?

Ma mère me fait signe. Ses yeux sont brillants, ses joues mouillées. Près de la sorcière, un harem s'étreint et s'entre-chuchote des mots apaisants. Je les imagine avec un voile indigo sur le crâne, en madeleines pleureuses. Sainte Marie, mère de Dieu, priez pour nous.

Bernard, l'ami d'enfance de papa, s'approche et me presse contre lui en reniflant bruyamment. « Ton père va beaucoup me manquer, Ari. » D'autres amis, connaissances et collègues, s'avancent. Ils forment une espèce de file d'attente devant moi. Prenez un numéro pour la distribution de vos condoléances. « Je l'aimais... » Next ! « C'était un homme extraordinaire. » Next! « His soul shall remain... » NEXT! Ils m'énervent.

Je sais tout ça: c'est mon père. *C'était mon père.* Surtout, c'est ma peine, et je n'ai pas envie de la partager, de l'exprimer ou d'entendre leurs tristesses parallèles. Ma peine à moi est pire, bien plus grande et bien plus profonde. Dans la vie, t'as une paire de grands-parents, t'as beaucoup d'amis, t'as plusieurs amoureux. Un père, t'en as qu'un, et moi, je l'ai déjà perdu. Que celui ou celle qui a encore son père disparaisse. Hors de ma vue. Scram, ostie.

On pourrait faire crever plein de monde. Des alcooliques, des batteurs de femmes, des violeurs, des malsains, des abrutis, des assassins. Mais on a fait crever mon père. C'était une erreur. C'est la preuve que rien n'a de sens. On pense que les choses arrivent pour une raison. On parle de destin, de fatalité. On dit n'importe quoi parce qu'on a peur de l'inconnu, parce qu'on a peur de notre impuissance, de laisser aller la vie à ce qu'elle est, justement : injuste.

Grand-papa Hector veille sur l'Univers dans un coin du salon. Il ne pleure pas, mais je sais sa tristesse, cachée derrière les rides de son visage doux. Le regard d'Hector croise le mien et me fait signe de le rejoindre. Il pose une main sur mon front et me caresse les cheveux. J'enveloppe sa taille chétive avec reconnaissance et remercie le bon Dieu des vestiges de mes fantasmes judéo-chrétiens pour l'existence de mon grand-père. Je sais qu'Hector entend mon « merci » muet. Il me reste lui. Ce n'est pas mon père. Mais c'est quand même *un* père.

Au bout de la salle repose le cercueil. Mon père est « exposé ». Expression tellement morbide pour désigner les derniers instants qu'on passe avec le corps du défunt.

Notre Père qui êtes aux cieux... Il est là encore, pourtant. Même si son âme s'est supposément enfuie quelque part au-dessus des nuages dans un paradis ambitieux. Avec son visage maquillé, mon père ressemble à une poupée de cire. Un Ken grisonnant. Ils lui ont mis du rouge à lèvres. Une espèce de rose pâle qui s'essaie à faire naturel. Sa poitrine est toute gonflée et ses mains sont froides. J'ai envie de me hisser dans son cercueil et de me rouler en boule contre lui. Je pourrais le fermer, le cercueil. Il ferait noir et on serait rien que tous les deux. Je fermerais les yeux et je m'endormirais. Et peut-être que, si j'étais chanceuse, je ne me réveillerais jamais.

Tout le monde devrait partir. C'est entre mon père et moi. Ils n'ont rien à voir là dedans.

Jules est resté tout le long à mes côtés, à portée de bras, prêt à tout. Si je tombe, il me rattrape. Si je crie, il crie avec moi.

— Je vais aller prendre l'air un peu, OK?

— OK. Je t'accompagne?

— Non, non, reste. Je reviens.

Mon bel ami esquisse un petit sourire inquiet.

Je tourne les talons et j'attends d'être dehors pour respirer. Puis, je me mets à pleurer.

Bilan actuel de ma vie:

- Mon père est mort.
- Je reviens de trois mois en Asie et, non, je n'ai pas « tripé » tant que ça.
- Ma mère est folle.
- Ma mère me rend folle.
- Je me sens vide.
- Et déprimée.
- Soyons francs, je me sentais vide et déprimée avant même que mon père meure. La différence, c'est que, maintenant, j'ai une bonne excuse pour être triste.
- Dans quatre jours, j'entame ma dernière année de baccalauréat en communication à l'UQÀM.

- J'ai aucune idée de ce que je pourrais/voudrais faire après mon bac.
- Si je m'étais écoutée, je serais allée étudier en histoire de l'art pour faire quelque chose d'encore moins utile.
- Je me suis pas écoutée.
- Si je dois refaire un travail d'équipe avec une Stef ou une Caro (de Laval ou de Brossard), je me tire une balle entre les deux oreilles.
- Si je dois effacer les trop nombreux marqueurs de relation de Stef ou de Caro (de Longueuil ou de Rosemère), la veille de la remise d'un travail, je me torture lentement jusqu'à la mort.
- J'ai pas de chum. J'ai jamais vraiment eu de chum. J'ai juste accumulé les amants de passage, des amis-amoureux (amioureux) qui partent et qui reviennent, que je flushe ou qui me flushent. Chacun son tour.
- Personne n'a jamais été amoureux de moi. Enfin, pas plus qu'en amourette.
- Surtout, j'ai jamais été amoureuse. Enfin, pas plus qu'amioureuse.
- J'ai pas l'impression d'être comme les autres. Mais, le pire, c'est que je suis consciente que personne n'a l'impression d'être comme les autres. Je suis donc consciente d'être une fille ordinaire qui se sent spéciale.
- En trois ans, j'ai changé trois fois d'appart. Je cherche toujours celui où je me dirai : ça y est, j'ai trouvé, je suis ici chez moi. Villeray, Homa, Plateau. J'ai pas trop envie de me rendre jusqu'à Saint-Léonard. And I don't think I can afford Westmount. Nor the proximity of the Wicked Witch. Trois coups de talon contre mes souliers rubis. There is definitely no place like home, even more when there is no home.
- Je pense que je suis malheureuse.

Je raccroche. J'ai tenté de convaincre Jules et Marie-Caroline que j'étais malade (un début de gastro) et qu'il m'était donc absolument impossible de sortir en ce samedi soir. Ils étaient déjà en route (yeah, right). «On arrive dans 15 minutes, pis t'es mieux d'être prête si tu veux pas qu'on te traîne de force en jogging.»

Ostifuckcriss. Ils ont raison. Je devrais sortir. Rentrée universitaire lundi. Après, je pourrai toujours abuser de l'excuse: *c'est parce que je dois étudier pour un examen important.* (Même si c'est archifaux parce qu'en comm, la pire note que tu peux décrocher, c'est B-. Et pour ça, tu dois te forcer. Genre être volontairement complètement poche. Ou blasphémer: The medium is NOT the message!)

Mes cheveux sont encore mouillés. Je n'ai pas pris la peine de savonner ma crinière, encore moins de la sécher. Tant pis, ils sécheront à l'air. Je fouille dans ma garde-robe sans trop savoir ce que je cherche. Il fait tellement chaud que j'irais toute nue. Je saute de canicule en canicule en me demandant si la chaleur montréalaise n'est pas pire que la vietnamienne. Au moins, là-bas, tu t'y attends.

Ça sonne. Je m'enroule vite dans une serviette et, avant même que je n'aie le temps de leur ouvrir, Marie-Caroline et Jules envahissent mon appartement.

— 'Scuse, Ari, c'était ouvert…

— T'es pas prête?

— …

Jules fronce les sourcils et m'entraîne dans ma chambre avec M-C sur les talons. Impossible de l'appeler Marie-Caroline sans pouffer. C'est la faute aux baby-boomers et à leurs idées de prénoms composés «originaux». Et c'est sans parler des noms de famille doubles. Pauvres enfants que nous sommes. Marie-Caroline Gauthier-Duchamp, ostifi. J'admire mon amie qui ne semble souffrir d'aucune séquelle grave à la suite de sa postquadruple appellation nominale. Heureusement, quant à moi, je n'ai pas ce problème de nom composé. Ma mère, radicale, a forcé mon père à renoncer : sur le baptistaire, je n'ai qu'un nom de famille, Ariane Desbiens. La Denise était pas mal contente que sa fille porte rien que son nom à elle. My mother, that feminist.

Jules me lance un short en jeans troué tandis que M-C me choisit une camisole délavée un peu lousse. Je l'enfile. À la hauteur des aisselles, mon soutien-gorge noir en dentelle Calvin Klein dépasse.

M-C qualifie la tenue de « sexy ».

Est-ce que j'ai vraiment envie de sortir ? Oui. Non.

Oui.

Peut-être que je n'ai pas le droit. Peut-être que t'es forcée d'être misérable 24 heures sur 24 quand ton père vient de crever. Mes deux amis me dévisagent pendant que je finis de m'habiller. L'autoapitoiement fonctionne beaucoup mieux avec mon amie-e qu'avec mon ami-i. M-C m'observe avec des yeux de pouliche inquiète. Jules s'exaspère de me voir me vêtir si lentement.

— Bon. Là, Ariane Desbiens, ce soir, on boit, on danse, pis on lance des piques sarcastiques à tous les garçons qui viennent te complimenter sur ton beau teint bronzé, OK ? Pis la Marie-Caroline Gauthier-Duchamp, elle va faire semblant d'être célibataire. C'est-tu clair ?

On éclate de rire.

— Yes, Master.

— Madame Desbiens ?

— Oui, sieur.

— Par-fait.

Casa del popolo. Hot Chip.

Ready for the Floor. C'est ma toune. Prête pour le dancefloor. Ce soir, c'est tout le temps ma toune, de toute façon. Jules quitte le bar avec trois shooters d'uppercut entre les mains. M-C et moi, on danse comme si on était seules dans ma cuisine un dimanche midi de février. Mon amie termine son Amaretto sour en vitesse avant que Jules ne lui tende un nouveau verre. Chin chin. Santé. À rien du tout. À ce soir.

M-C s'essuie la bouche du revers de la main et se tourne vers Jules.

— One more?

— Ben oui. Envoye une autre!

— Tu changes pas d'idée, Ari?

— Non, j'ai la même opinion qu'il y a une demi-heure. J'suis prévisible de même.

Mes deux meilleurs amis se dirigent ensemble vers les toilettes des filles. Subtilité zéro. Ça fait deux ans qu'ils sniffent de la poudre quand ils vont danser. C'est un peu trop Courtney Love-années 90 à mon goût. Me semble qu'être bien saoul, ça suffit. J'ai déjà pris de l'ecstasy avec eux au Nouvel An dernier. Résultat: j'ai passé le décompte à vomir de la bile dans les toilettes de la Société des arts technologiques. Selon M-C, c'est juste parce que c'était du stock cheap et il faudrait que je réessaie pour «bien en profiter». The second time's a charm. Moi, je pense que j'ai assez de troubles comme ça dans ma vie. Si en plus je commence à ingérer régulièrement des pilules ou à me fourrer de la poudre plein les narines... Pas trop envie de devenir un personnage grandeur nature de *Requiem for a Dream* ou de *Las Vegas Parano*.

Je décide de me reposer quelques minutes au bar en les attendant. On dirait que je ne suis pas encore game de me dandiner toute seule sur une piste de danse. J'ai besoin d'amis pour me désinhiber, besoin de croiser un regard connu parmi la foule d'anonymes.

Un assez joli brun vient s'accouder au bar à côté de moi. Il est un peu court sur pattes et tient une pinte de rousse qu'il descend en longues rasades. Ses yeux surprennent les miens et sa bouche s'approche de mon tympan pour crier :

— C'est quoi ton nom ?

Je hurle « Ariane » et il me sourit. C'est sûr qu'il n'a rien compris. Je lui demande « Toi ? » et je fais semblant d'entendre sa réplique en hochant la tête. Le Brun prend ma main et m'emmène danser. Il ne me colle pas, n'essaie pas de me faire tournoyer ou de frotter sa graine contre mes fesses comme dans une toune de reggaeton sale. J'aime ça. On danse face à face, comme deux amis, deux amis qui se connaissent. J'entends les premiers accords de *Heartbeats* de The Knife et je me rapproche.

— Je l'adore, celle-là. C'est ma toune.

— Moi aussi…

Le Brun profite de ma proximité pour fourrer sa langue dans ma bouche. On s'embrasse longtemps. Je suis saoule. On frenche with a little bit too much tongue, le genre de baiser passionné que donnerait un soldat en manque à une infirmière de guerre, que donnerait un pré-cul-de-jatte à sa jambe malade, genre qu'on a sûrement l'air d'animaux qui se lèchent le visage, mais je m'en fous, ma langue court dans tous les sens, la sienne aussi, et c'est bon. Il caresse mes reins et ma colonne vertébrale, s'agrippe à mon cul. J'oublie qu'on est dans un bar, qu'il y a plein de monde et que mon bilan de vie est désastreux.

Quand ses mains glissent sous mon chandail pour tripoter mes seins, Marie-Caroline intervient :

— Ari, c'est pas le moment, je pense.

Je hausse les épaules. Il me semble au contraire que c'est le moment parfait. Un one night stand me ferait le plus grand bien. Jules m'attrape par les épaules pour m'éloigner du Brun. Mes amis se regardent en articulant silencieusement des mots que je ne comprends pas.

Après leur délibération secrète, M-C G-D déclare :

— Ma belle Ari, nous, on a besoin de lipides. Pis, comme c'est moi qui vous ramène en char pis que j'imagine que vous préféreriez que je conduise droit, il va me falloir un gros coke pis une poutine extra saucisses. Au plus sacrant.

On me pousse vers la sortie en discutant des mérites respectifs du Fameux et du Rapido du Plateau.

— Le Fameux, c'est plus classe.

— Oui, mais Carmen travaille au Rapido.

Avant de franchir la porte, je me retourne vers la piste de danse. Le beau brun a déjà disparu.

Il est 10 h 45 et le cours est déjà terminé. Le prof nous a flanqué un plan de cours entre les doigts, en a lu le contenu à toute vitesse et nous a donné congé.

Dehors, il fait frais. De grosses bourrasques aspirent les feuilles mortes. Elles volent un instant en meute dans le ciel avant de retomber sur l'asphalte. Puis, elles s'endorment sur le trottoir, étendues en bouquets multicolores. Ça sent la terre mouillée, ça sent rouge, jaune et orange. Je décide de rentrer à pied jusqu'à chez moi parce que je n'ai pas le courage d'affronter le métro : les visages maussades dans la prison souterraine. Mon foulard est resté à la maison, alors je plonge le bout de mon nez dans mon col de laine.

J'ai eu la très mauvaise idée de garder les pires cours pour la fin. Organisation économique des médias, Gestion des organisations culturelles, Histoire des communications,

Communication organisationnelle, Théorie de la communication médiatique. *Qu'est-ce que je câlisse icitte, sacrament?* «Il te reste juste un an», qu'ils disent. «Ça sert à quoi de faire deux ans de baccalauréat si c'est pour abandonner après? Suck it up, girl!», qu'ils renchérissent. En plus de Ils, une autre voix, sournoise, tourne en boucle dans ma tête. C'est un murmure de femme, celui de Denise ou de Diane, ou peut-être un mélange des deux: «Franchement... Tu t'es pas endettée pour rien, j'espère!»

«Fuck off», je leur réponds. «Fuck. You. All.» Mais ça ne les fait pas taire pour autant.

Je ne veux plus continuer. Mon père m'a toujours répété que je pourrais faire ce que je voudrais, tout ce qui me plairait. Selon lui, j'étais assez intelligente pour *choisir* ma destinée parmi tout l'éventail de carrières, d'emplois et de possibilités. Devenir éboueuse, dermatologue, traductrice, agente de voyages, secrétaire, serveuse, masseuse, consultante, vendeuse, médecin... Sky is the limit. Peut-être qu'il avait raison, mais je n'ai envie de rien.

Avec les années, je suis devenue la fille qui n'a envie de rien. Je suis un personnage secondaire triste d'un téléroman poche. Je suis une wannabe Jane Eyre, l'héroïne de Charlotte Brontë, orpheline laide et troublée. Mais la vraie Jane, insultée, fronce les sourcils dans mon subconscient. «Tu es loin de me ressembler, jeune fille.» Elle a raison. Aucun feu ne brûle au fond de mes yeux, aucune passion amoureuse secrète ne me trouble. Et mon talent pour le dessin, moi, je ne m'en sers même pas. Je suis une fin de bougie triste du magasin à une piasse.

C'est Jane qui a raison. Je ne travaille pas sur mes dessins. J'attends d'avoir le temps alors que je l'ai déjà. On a toujours le temps. Je remplis mes anciens vides de nouveaux vides. Ça fait beaucoup de vides.

Là, tout de suite, je pourrais entrer dans un café, m'asseoir et dessiner. Mais je ne le ferai pas. Pourquoi ? Ça me faisait du bien avant. Avant quoi ?

J'ai envie de répliquer : « Avant papa. » Mais ça n'a rien à voir. Mon père n'est qu'un alibi. Crédible, soit, mais insuffisant. Sa mort matérialise un vide intérieur qui me démange depuis trop longtemps. Depuis que je n'ai plus le droit d'être une enfant, peut-être. Depuis que je devrais savoir ce que je veux faire et où j'en suis rendue. Pourquoi est-ce qu'on n'a pas le droit de ne pas savoir ? Pourquoi est-ce qu'on ne nous donne pas le temps ? Qu'on nous force à répondre tout de suite à des questions qui ont à voir avec plus tard ?

Je monte Saint-Denis, grelottante, les mains roulées en poing dans mes manches. Mon menton s'enfonce dans mon cou pour le réchauffer, mais le vent de début d'automne vient à bout de tous les orifices de mon manteau. Je m'arrête au Urban Outfitters pour acheter un long foulard de laine rouge, une tuque et des mitaines agencées.

Avant de passer à la caisse, une pile de cahiers soldés attire mon attention. Deux pour trois. Je choisis immédiatement celui au sommet de la pile qui représente un ciel pluvieux pesant sur la ville. Dans le coin droit du carnet, sur l'asphalte gris, est écrit : *Sometimes, life sucks*. Je pose le foulard, la tuque et les mitaines écarlates par-dessus avant d'en chercher un deuxième. Je replace celui où des chiots carlins à lunettes sont penchés sur un dictionnaire géant et un autre encore où apparaît la photo d'un cornet de frites sur lequel on lit : *You are the mayonnaise to my fries*. Au milieu de la pile, je le trouve. Un cahier tout blanc sur lequel est imprimé en grosses lettres noires : *I wish I were away*.

Tout ce que je crois, tout ce que je ressens dans une petite phrase de rien du tout : I wish I were away. J'aimerais être ailleurs. Où, au juste ? Je ne sais pas.

Juste pas ici.

Le cœur un peu lourd. Ou beaucoup.

J'attends mon vol à la porte 54 de l'aéroport Pierre-Elliott-Trudeau. L'embarquement est retardé de 20 minutes. J'espère arriver à temps à Mexico City pour ma correspondance.

J'aurais voulu organiser mon départ en cachette. Partir sans avertir qui que ce soit. Ça me semblait plutôt dramatique. Presque romantique. Pas d'explication, pas de justification. J'abandonne tout, pis je décâlisse.

Mais j'ai averti Jules. Je ne pouvais pas lui faire ça. Puis Marie-Caroline. Je ne pouvais pas lui faire ça non plus. Après, j'ai vu qu'il me restait 2 000 piasses dans mon compte en banque. Je ne tiendrais pas longtemps considérant que mon vol coûtait déjà 816 dollars américains.

Un meeting avec la sorcière s'avérait nécessaire. En gros, elle héritait de la moitié des trucs de mon père, et moi, de l'autre. Mais c'est plus compliqué que ça. Il y a les affaires du chalet et les questions d'usufruit. Les comptes conjoints, les assurances, les fonds de pension, la maison. Mon père avait préféré écrire son testament à la main, sans l'aide d'un notaire. L'interprétation était parfois… discutable. Le partage financier et immobilier ne se réglerait pas avant un bon moment. Sincèrement, je m'en foutais. Considérant l'état des finances de mon père, je n'étais pas à plaindre. Ma mère me parlait déjà de placer mon argent, de prendre rendez-vous avec son conseiller financier. Ça m'énervait.

Je sais qu'au fond de son petit cœur de divorcée, elle était frustrée. Vingt-deux ans de mariage pour rien. Et la sorcière qui avait fait irruption dans la vie de Jean depuis à peine quatre ans! Dans la tête de Denise, c'était elle, l'héritière légitime. Elle le connaissait plus. Elle lui avait donné une fille. Elle. Elle, Denise. Pourquoi ma mère montrait-elle encore une étrange possessivité à l'égard de mon défunt père ? C'était elle qui l'avait laissé, elle qui avait voulu vendre la maison, déménager à Montréal, se refaire à 40 ans. Pour Jean, violer la promesse sacrée de « jusqu'à ce que la mort nous sépare » était inenvisageable.

Quant à moi, je préfère la sorcière depuis la mort de mon père. Sa douleur me remonte. La sorcière a perdu l'amour de sa vie à 48 ans et tous ses projets de « vieillir ensemble » ont été anéantis en même temps. Elle se retrouve seule avec ses deux fils et son aura empoisonnée de nécromancienne démoniaque. Sa progéniture se résume à deux grands flancs mous paresseux et boutonneux qui s'expriment par monosyllabes. Elle me fait pitié. Pourtant, je pourrais considérer ma mère de la même façon. Elle aussi est toute seule. Abandonnée par sa fille ingrate qui, à 17 ans, l'a quittée pour ne plus avoir à l'endurer, à l'écouter et à lui lancer des « je t'aime » pesants de responsabilité.

Mon discours pour Diane était tout prêt. Elle ne pouvait pas refuser. Je lui avais donné rendez-vous dans un resto vietnamien de la Petite-Patrie et je ne l'avais pas attendue pour commander mes rouleaux impériaux et mon pho steak saignant-boulettes.

Ma belle-mère s'est affalée devant moi, le visage creux, creusé, les traits tirés, ridée. Des larmes latentes brillaient dans ses yeux. Toutes ses phrases commençaient par « ton père » et s'additionnaient d'un verbe au passé. La belle-mère a commandé des nouilles sautées au tofu et aux champignons noirs.

— Diane, je pars.

Elle semblait perdue.

— Ah bon, où ça ?

— En Amérique du Sud. J'ai besoin d'un vrai break. De l'école, de tout. J'ai besoin de me retrouver. Je vais prendre des cours d'espagnol, peut-être me chercher une job là-bas, rencontrer des nouvelles personnes, vivre d'autres choses.

— Ah bon... Mais tu reviens tout juste de voyage...

Sincèrement, ça avait l'air de lui passer 6 000 pieds au-dessus de la tête. Étrangement, j'aurais voulu qu'elle proteste, qu'elle me supplie: «Va-t'en pas, tu me fais penser à ton père.» Ou: «Si tu veux, je deviens ta mère adoptive.» J'aurais refusé, évidemment. Pas besoin de sorcière dans ma vie. L'offre aurait tout de même été... appréciée. Un éclair de lucidité a traversé les yeux de ma mère non adoptive.

— Et ton bac, Ari? Je pense pas que ton père aurait aimé que tu l'abandonnes en cours de route.

J'ai levé les yeux au ciel.

— Je l'abandonne pas, justement. J'ai besoin d'un break, c'est tout. De toute façon, j'ai fait mon enquête sur la rente aux orphelins. Tu peux inscrire tes fils au programme vu que mon père et toi étiez conjoints permanents. Ils vont pouvoir se partager 17 800 dollars par année pour étudier jusqu'à leurs 25 ans. Ça, c'est jusqu'à ce que je retourne aussi à l'école. Alors, l'argent sera divisé en trois. En attendant, tout ce que je voudrais, c'est une avance sur l'héritage. Ça peut être vraiment long à régler ces procédures-là et j'aimerais bien être partie d'ici deux ou trois semaines...

Elle m'a regardée, éberluée, la bouche ouverte. Un peu de sauce aux champignons noirs lui tachait le coin des lèvres.

— T'en as parlé à ta mère? Elle est d'accord?

— Écoute, Diane, Denise a pas d'autorité là-dessus. J'ai 21 ans, je fais ce que je veux. Et puis, c'est mon argent. Pas officiellement encore, mais dans quelques mois, ce le sera. Je te demande pas de me donner toute ma part, bien sûr.

J'ai juste besoin de 10 000 pour commencer. D'ici là, les affaires seront réglées et tu déduiras le tout de l'héritage.

Je lui ai tendu le contrat que j'avais préparé. Écrit en police Courier à l'ordinateur pour faire officiel.

> Montréal, le 12 septembre 2012
>
> Je soussignée Diane Lalonde, m'engage à verser la somme de 10 000 dollars à la fille de mon défunt conjoint, Jean Rivard, en avance sur l'héritage qui lui sera dû. La somme de 10 000 dollars sera déduite de sa part d'héritage et lui sera retirée au moment de la finalisation des arrangements avec le notaire.

J'avais déjà gribouillé ma signature au bas du document, sous Ariane Desbiens, en caractères gras, toujours en Courier.

On en a discuté quelques minutes de plus avant qu'elle ne signe. Elle voulait que je promette d'en parler à ma mère avant d'acheter le billet d'avion. J'ai accepté, mais la vérité, c'est que je l'avais déjà acheté. De toute façon, elle était trop épuisée pour négocier davantage. Diane a sorti son carnet, m'a fait un chèque et j'ai glissé un petit bout de papier qui valait 10 000 dollars dans la poche arrière de mes jeans.

J'ai failli ne pas tenir ma promesse. Subir les aboiements de chienne frustrée de ma mère, souffrir ses miaulements de chatte éclopée ; ça me semblait au-dessus de mes forces. Mais je lui ai avoué. Entre deux bouchées de spaghetti bolognaise, deux jours avant mon départ.

— Maman, je m'en vais. C'est pas contre toi, mais j'en peux plus d'être ici, de faire du sur-place. Je suis pas heureuse. En tout cas, je pense pas.

— C'est pas une façon de faire un deuil que de s'enfuir !

Faire un deuil. Faire un deuil, ostie. Donnez-moi une vraie définition, une application pratique, un mode d'emploi. J'entends la formule et j'ai des envies de meurtre. Quelqu'un peut me dire ce que c'est, faire un deuil? Dans le *Larousse*, après « Perte, décès d'un parent, d'un ami », on lit : « Douleur, affliction éprouvée à la suite du décès de quelqu'un, état de celui qui l'éprouve. » Pas très éclairant. Faire mon deuil équivaudrait donc à cheminer dans la douleur? Rester malheureuse? Accepter le statu quo? Porter du noir, écouter des tounes tristes, chigner dans mon lit les lumières fermées? D'accord. Mais je peux faire tout ça ailleurs. À Buenos Aires, par exemple. Les bons airs. Peut-être qu'on respire mieux en Argentine. Peut-être que c'est à Montréal qu'on respire mal. Et en Asie du Sud-Est...

Donc. Ma mère. Je l'ai écoutée longtemps, jusqu'à ce qu'elle n'ait plus de mots, plus de salive, plus de souffle. Elle était en furie contre Diane et son avance de 10 000 dollars. Finalement, sa voix s'est éteinte, elle s'est mise à pleurer et je l'ai prise dans mes bras. Ma petite maman pleureuse. Petite maman-enfant dont il faut prendre soin.

Je devrais être contente. Si la tendance se maintient, dans 16 heures, je serai en Argentine. Ariane redeviendra anonyme, Ariane n'aura plus de soucis scolaires, plus de décisions à prendre, de sorcière à détester, de mère à couver, de père à pleurer. Et puis, Ariane en Argentine, ça sonne encore mieux que Martine à la plage.

— The passengers for the flight number 681 with Aeromexico are asked to come to gate number five for boarding.

DEUXIÈME PARTIE

The professor et la fille qui danse

— Ariane ! *La cuenta a la seis, por fa' !*

Fernanda me tend un étui en cuir et un crayon.

— *Voy.*

C'est mon deuxième jour au café Oui Oui. Je dépanne la propriétaire qui est aussi une amie d'Alfredo, mon professeur d'espagnol. Elle s'est déclarée « charmée par mon accent québécois » et m'a promis un poste permanent si je faisais mes preuves en tant qu'aide-serveuse. Fernanda a décoré son petit restaurant avec une grande minutie : service en porcelaine de Delft, comptoir de pâtisseries maison à manger sur place ou à emporter, tables et chaises anciennes, nappes brodées... Les cafés qui servent un brunch décent à Buenos Aires se font rares. Résultat : ici, la fin de semaine, c'est le rush permanent de 9 heures à 16 heures. Je ne prends pas les commandes, mais je distribue des sourires gênés aux clients qui engouffrent leurs œufs dégoulinants ou leur montagne de pancakes au Nutella. Je ramasse les assiettes sales, apporte les additions, sers le jus d'orange frais pressé.

Mon espagnol est loin d'être parfait, alors ça m'arrange de me cacher derrière ma guenille, de nettoyer les tables et de distribuer des ustensiles. J'attends que Fé (c'est comme ça que tout le monde l'appelle et, chaque fois que j'entends son surnom, je revois la Fée Clochette walt-disnéenne avec son chignon blond haut perché, ses fossettes et sa jupette verte... rien à voir avec Fernanda, petite, brune, les cuisses fortes, la poitrine aussi, un regard aqueux et sombre de bébé phoque) me tourne le dos pour sautiller sur une patte, puis sur l'autre, en me massant les quadriceps. Mes jambes sont engourdies et je fixe avec envie le tabouret inoccupé derrière la caisse enregistreuse.

Le cliquetis de l'horloge grand-père me rappelle à l'ordre : 17 h 11. Je suis crevée. Il reste encore la mise en place, trois tables à débarrasser et deux couples à faire payer. Je soupire en me servant un grand verre de jus d'ananas que j'avale d'un trait. Fé me dévisage.

— Pas habitouée à bouger commé ça, hein ?

— Non, pas trop. Mais je vais m'y faire.

Sourire engageant.

— *Claro, boluda. Necesitas tiempo. Bueno,* tou pé t'en aller. Alfredo m'a dit qué vous aviez cours cé soir.

Fé me fait un drôle de clin d'œil et je proteste.

— Pas question. Je te laisse pas finir toute seule. J'ai rien qu'à lui téléphoner pour remettre la leçon.

— Nononono… Je souis bien. Nico va m'aider. Vas-y, ma chérie.

J'esquisse mon sourire le plus reconnaissant (sincèrement, je n'ai aucune envie de rester), détache en vitesse les cordons de mon tablier et cours changer de t-shirt. Mes cheveux sentent la graisse à patates et mes jeans gardent de longues traînées de sucre en poudre. Oh well…

Alfredo habite Congreso, tout comme moi. Je suis très en retard et de Palermo Hollywood, ça risque de me prendre une bonne vingtaine de minutes en autobus. Je hèle un taxi sur l'Avenida Santa Fe. Ici, ils ne coûtent presque rien. Dix minutes plus tard, la voiture s'arrête devant chez Alfredo et je tends 20 pesos au chauffard de chauffeur. Il contemple le billet d'un air fendant.

— *No change !*

La tache. Je sais qu'il a de la monnaie plein les poches, mais comme je suis mucho en retard, je marmonne, frustrée, « *Guarda el resto* » avant de claquer la portière. Je tourne au coin de Juan Perón pour déboucher sur Callao (prononcé Cachao). Mon index appuie sur le numéro 14.

— *¿Ariana?*
— *Sí*, c'est moi!
— *¡Entra, bella!*

(Dublin)

— Are you OK?

L'adaptateur de mon ordinateur fait des flammèches. Pow. Les Irlandaises à la table voisine ont sursauté. Le plastique du convertisseur d'électricité fume et je me suis brûlée en sacrant. Je jure en anglais, maintenant: question d'adaptation culturelle. I'm a citizen of the world, you know.

— Yeah, I'm fine. So sorry. I don't know what happened.

Je m'étais installée au Fumbally au coin de la rue du même nom et de New Street South. Ça fait trois jours d'affilée que j'y reste scotchée pour dessiner en écoutant de la musique. Le garçon à la caisse m'aime bien. Il a examiné les longs oiseaux que je traçais; «Cool birds!» avant de reconnaître mon accent «Cool accent! Where are you from?» et je suis devenue un prétexte pour qu'il exerce son french. Il dépose de temps en temps un Earl Grey avec du lait sur ma table. J'aime pas trop le thé noir, mais j'en bois des petites gorgées (avec beaucoup de sucre) pour montrer ma gratitude.

Une serveuse aux lèvres fuchsia me prend l'adaptateur des mains. Elle pointe du doigt un disjoncteur imaginaire et me somme de ne plus utiliser mon engin diabolique. J'ai fucké sa fuse.

Bon. Je prends une dernière bouchée de mon sandwich avant de changer d'endroit. Il n'y a pas que le Fumbally à Dublin et je dois partir à la recherche d'un nouvel adaptateur. Qui plus est, celui que je viens de briser ne m'appartient pas.

C'est celui d'une Québécoise rencontrée au Billy Kun l'an dernier. On est devenues amies comme ça un soir en partageant une table, un pichet de blonde pis des fous rires niaiseux. Elle m'a écrit pour m'inviter à Dublin alors que j'étais encore à Buenos Aires à me déchirer le cœur pour A. Elle est partie y vivre avec son amour brésilien, Thiago, qui appartient à cette race d'hommes grotesquement sublimes n'apparaissant habituellement qu'au beau milieu de tes rêves, en speedo sur une plage de Rio. De la bossa-nova joue en background (*Tall and tan and young and sexy/The boy from Ipanema goes walking*...) tandis qu'il sprinte jusqu'à toi, les cheveux ondoyant dans le vent chaud.

J'essaie de passer le plus clair de mon temps dans les rues de Dublin, à l'extérieur de la vieille baraque que les amoureux partagent avec deux fantômes (des colocataires invisibles ou disparus ou travailleurs permanents ou morts). Chaque fois que je croise le chum de Caro dans les escaliers ou les corridors de la demeure grinçante, mes jambes ramollissent. Je me sens coupable. Maudit sois-tu, sex-appeal du Sud! Damn you, penises!

Après deux hardware stores sans convertisseurs de prise américaine, j'entre dans un dépanneur chinois qui les tient cachés derrière le comptoir. J'en achète deux. Au cas où j'en ferais exploser un second sur les prises dublinoises. Dix-huit euros plus tard, je pousse la porte du Little Green au 13, High Street. Sur trois étages, des murs couleur ciel-gris-de-pluie reflètent l'extérieur. La serveuse, trop belle, est assise derrière le comptoir, ses longues jambes repliées sous les barreaux d'une chaise vert menthe. Cheveux blonds courts, coin de paupières maquillé de poudre dorée et eye-liner foncé, leggings et long t-shirt noir avec motif de tête de mort, thigh gap. Le café est désert et elle se lève d'un bond. Je lance «Nice shirt» pendant qu'elle me tend une pinte de Paulaner en souriant. Il est à peine 14 heures. Je devrais m'en tenir au café jusqu'à 17 heures au moins. Je prétexte mentalement que je dessine mieux lorsqu'un peu paquetée. « Y est ben 5 heures quequ'part dans l'monde. »

J'ai un peu les bleus. Bon Iver joue à la radio du café-bar. Son *Skinny Love* me donne le fat motton.

Je regrette de ne pas avoir réservé un lit dans une auberge de jeunesse. Pas que je ne l'aime pas, Caro. Loin de là. Mais ses amours me heurtent, me soulignent l'ampleur de mon propre célibat. Pour ne pas dire solitude, avec un *s* majuscule. Le problème pour une fille, surtout en voyage, ce n'est pas de trouver un garçon, mais de conserver ledit garçon. Je ne parle pas de pour-la-vie ici, je parle d'une couple de dates, je parle de développer quelque chose qui perce la surface (no pun intended), qui dépasse les apparences. Malheureusement, j'ai l'impression qu'il n'existe pas grande différence entre les premiers rendez-vous galants et les entrevues d'embauche. On est là, comme des cons, à essayer de se vendre sous son meilleur jour, sachant très bien que, finalement, notre prétendue perfection s'effondrera. Réalité oblige. De toute façon, ceux qui te plaisent vraiment ne s'intéresseront jamais longtemps à toi. Et l'inverse est aussi vrai. C'est la loi du je-t'aime-moi-non-plus.

Pourquoi ça ne marche jamais ? Avec un *j* majuscule.

On mangeait hier des sushis au bord de la Liffey tandis que Caro tentait de me convaincre que *je le trouverais.*

— Tu penses que tu le rencontreras jamais, hein ? Puis, BOUM, tu le trouves. Tu sais Ari, moi c'est ma toute première *vraie* relation...

Je me bouche les oreilles mentalement. Who's *le,* anyway ? Je n'en peux plus du discours de « inquiète-toi-pas-ça-va-t'arriver-à-toi-aussi-un-jour ». Peut-être que non, justement. Trouver l'amour n'est pas une fatalité positive.

Ma mère est toute seule, elle.

J'ai appris que Diane fréquentait quelqu'un. Ça m'a donné un gros coup. Je me suis sentie trahie. Je me sens trahie. Je la revois en miettes après les funérailles de papa. Elle m'a écrit, comme pour me rassurer: «Tu sais, il ressemble beaucoup à ton père... Même qu'il s'appelle *Jean-Pierre.*» Je l'aurais étranglée. Depuis, je ne lui ai pas donné de nouvelles.

Avec un pincement au cœur, je pense à A. Je me suis jurée de ne plus prononcer son nom en entier. Pas même dans le confort privé de mon cerveau. Je me limite à la première lettre. Comme ça, on dirait plus un groupe sanguin qu'une personne.

Est-ce que ça aurait pu fonctionner avec lui?

Non, Ariane, ça n'aurait pas pu puisque ça n'a pas été.

Mais si j'avais été plus ci et moins ça? Est-ce que c'est ma faute à moi? Et si j'y retournais pour réessayer? Si je le suppliais de me reprendre? En étant douce et légère, en ne demandant rien, en ne prenant que ce qu'il veut me donner...

Un vent frais pénètre par la porte ouverte du café. Le soleil de tout à l'heure disparaît lentement entre des nuages qui annoncent l'orage. Ma pinte de Paulaner est à moitié vide. Comme ma vie, genre.

Je dessine de temps en temps dans mon cahier acheté à Montréal. I wish I were away. And here I am: away. Wish granted.

Je cherche à tâtons ma petite culotte dans le noir. Alfredo gémit doucement quand je déplace sa grande patte posée sur ma fesse. Aucune trace de mes sous-vêtements dans la chambre. Je déteste dormir complètement nue. Le haut, ça va, mais je préfère couvrir mon sexe, même sous les draps. Je me lève sans bruit et traverse le salon. Ma culotte est encore prise dans l'entrejambe de mes jeans, abandonnés derrière le divan. Je l'enfile avant de retourner me coucher, la tête et les seins collés contre le dos d'Alfredo. Il sent bon. Tellement bon. Une odeur épicée, forte. J'ai très envie de caresser ses cheveux gris, mais je n'ose pas, de peur de le réveiller. À force de respirer dans la chaleur de son dos, je me rendors.

La première fois que j'ai rencontré Alfredo, j'ai immédiatement su que je coucherais avec lui. Je *devais* coucher avec lui. Ça relevait du besoin, de la survie. Il portait un blouson de suède, un t-shirt blanc et des jeans foncés, troués, serrés aux chevilles. Sa chevelure descendait jusque sous ses oreilles, formant, à la hauteur du front, une ondulation parfaite. Une vague de cheveux gris-bleu. Alfredo avançait dans la rue, comme au ralenti. C'est quétaine, je sais, mais en le voyant qui s'approchait, j'ai pensé au film *Closer*, quand Natalie Portman et Jude Law bondissent lentement au milieu de la foule new-yorkaise avec la voix plaintive de Damien Rice en musique de fond. *And so it is*. J'ai immédiatement senti une chaleur grimper entre mes cuisses.

Je le fixais. Plantée devant lui comme une épaisse, bouchant la sortie du métro. Les travailleurs pressés me bousculaient, irrités. Mais j'étais obnubilée, le dévorant des yeux tandis qu'il marchait jusqu'à moi, toujours au ralenti.

Il m'a souri.

— *¿Sos Ariana?*

— Ariane, oui.

— *Bueno*. Si tu veux apprendre l'espagnol, tu vas devoir répondre "sí", *y no* "oui".

— OK... *Sí*.

Alfredo enseigne l'espagnol. En plus de parler couramment le français, l'anglais et l'italien. Mais avant tout, Monsieur est artiste-peintre. Ses leçons langagières aux gringos lui permettent de survivre plus décemment. Monsieur vit très mal de son Art, comme à peu près tous les artistes de l'Univers.

Sam, mon coloc australien, m'avait vanté ses talents de professeur. «And he lives nearby.» Il m'avait promis de lui en glisser un mot, voir s'il était disposé à débloquer mon español.

Le lendemain, Alfredo disait «*sí*» à Sam et je me suis retrouvée un mardi de fin d'après-midi devant la bouche de métro de la station Corrientes. Il m'a embrassée sur les joues et, longtemps après, j'en ressentais encore l'empreinte humide et chaude. Il a saisi ma main et m'a entraînée dans les rues de Buenos Aires. Ça faisait une semaine que j'y étais, je ne connaissais pas beaucoup d'Argentins. J'ai pensé que charrier les gens comme ça par la main, c'était sûrement un genre de rituel culturel.

Le désir me consumait déjà, hurlant tout de suite trop fort et Alfredo semblait s'apercevoir de son emprise sur mon bas-ventre qui palpitait en silence sous ma jupe. Il avait 37 ans. (Il en a 38, maintenant.) A s'est arrêté devant un café de la calle 9 de Julio. L'endroit débordait d'Argentins, des hommes surtout. Miraculeusement, une banquette s'est libérée au fond et il m'a prise par les épaules, me guidant jusqu'au siège vacant. Je me laissais faire, en poupée-automate, encore foudroyée par sa nouvelle présence dans mon monde. Il a attiré une chaise vers lui, l'a fait tournoyer, et s'est posé dessus à l'envers, le menton appuyé contre le dossier. Une série de questions en espagnol ont fusé et je tentais de suivre son rythme effréné, toute déstabilisée que j'étais. «Qu'est-ce que tu fais ici?» «Combien de temps comptes-tu rester?» Gênée, je bafouillais des réponses grammaticalement approximatives.

Il m'a lancé:

— C'est comme ça que tu vas apprendre, Ariana: en discutant. *Entonces, discutamos.*

Il avait raison.

Une semaine plus tard, j'avais fait des progrès incroyables. Deux semaines encore et je tenais une conversation décente en espagnol. Peut-être que le sexe aide la langue à se délier. Si c'est le cas, Alfredo est un excellent professeur. J'imagine qu'on ne pourrait qualifier la séduction d'Alfredo d'«exploit». J'étais jeune, flabbergastée de désir, pas laide du tout, et lui, argentin, hormonal et célibataire. Mais peu importe. J'étais fière de coucher avec lui, fière qu'il me veuille, moi, insignifiante petite Nord-Américaine, vulgaire gringa.

Mon Ariane,

C'est l'hiver ici. Hier, tout était blanc et aujourd'hui, la neige s'est changée en slush brune. J'ai l'impression qu'on est à la fin du mois de février même si l'hiver vient juste de commencer.

J'ai eu une date hier.

Est-ce que je t'avais dit que je m'étais inscrite sur un site de rencontre? C'est Louise qui a insisté. Elle m'a même aidée à créer un profil. Il fallait que je me décrive en quelques lignes. T'imagines bien que j'étais complètement en panne d'inspiration! C'est Louise qui a trouvé: Femme de carrière dans la quarantaine. Très bien conservée, intelligente et active. Cherche homme de carrière aussi bien conservé, doux et généreux.

On dirait un échange de chars d'occasion, pas vrai;)? N'empêche, de nos jours, c'est peut-être la meilleure façon de trouver l'amour.

Ces temps-ci, je pense souvent à Jean. Tu sais à quel point ton père aimait l'hiver. Tant qu'à moi, je n'ai jamais compris qu'on puisse trouver le froid agréable.

Cocotte, je voudrais tellement que tu sois là. Quand tu étais petite, le monde disait qu'on était pareilles, que tu étais moi, mais en plus petit format (et en plus mignonne, évidemment). Te souviens-tu à quel point on était complices ? On faisait tout ensemble, même que ton père était jaloux.

Je m'ennuie de toi, ma belle. Vraiment beaucoup.

Donne-moi de tes nouvelles. Et un courriel privé, cette fois ! J'aime lire les messages que tu nous envoies, mais ta mère mérite quelque chose de plus personnel.

Je t'aime.

Gros gros becs,

Ta mère préférée

PS : As-tu une meilleure idée maintenant de quand tu comptes revenir ?

Il est une 1 h 30 du matin et j'attends Alfredo. J'ai l'estomac à l'envers, la bedaine barbouillée. Dommages collatéraux du choripán. Lisa voulait absolument manger un morceau avant d'aller descendre des gin tonic au Kim y Novak, notre bar préféré. C'est toujours là qu'on va boire des coups. Pour nous, la vie nocturne de Palermo se limite à cet endroit. Kim y Novak : aujourd'hui, demain, toujours. De toute façon, pourquoi aller ailleurs quand on se sent bien quelque part ? On s'est retrouvées après son cours, près de l'université de Puerto Madero. Elle m'attendait, les yeux figés sur le Rio de la Plata et sur les vendeurs ambulants de hot-dogs argentins. Tous les commerces qui bordent le fleuve promettent le meilleur choripán de l'Univers. Comme si fourrer une saucisse entre deux tranches de pain relevait des beaux-arts ou de la physique quantique. Pour faire rire Lisa, j'ai arrosé mon chori d'un peu de chacun des 18 condiments alignés sur le comptoir. J'ai jeté le pain mouillé après deux bouchées. C'était dégueulasse.

Ici, je fonds. Encore plus qu'en Asie. Je crois que je préfère avoir le ventre vide. La faim me grise. Me fait sentir plus vivante, mieux vivante. Comme si l'énergie qui servait auparavant à ma digestion s'était transférée dans le ravitaillement de mes neurones. Alfredo m'appelle *flaca* («maigrichonne», en espagnol).

Lisa a pris congé au troisième gin tonic (j'en étais à mon quatrième). Depuis, je bombarde mon amant argentin de textos pour savoir s'il compte un jour apparaître. Je déteste rester seule dans un bar. Je déteste attendre. *Me hace sentir tonta* (ça me fait sentir nounoune). Il devrait être là depuis minuit, mais comme il me croit encore avec Lisa, j'imagine qu'il ne se presse pas trop. *Boludo.* En attendant, j'approche une chandelle de mon visage et je pêche dans mon sac *Memórias Póstumas de Brás Cubas.* C'est lui qui m'a prêté le bouquin, un roman de Machado de Assis, un écrivain brésilien du 19e siècle. «Mais c'est très moderne», m'a-t-il assuré. Le narrateur fait le récit posthume de son existence. Je souris à l'idée de l'autobiographie à rebours d'un homme décédé.

Une haleine chaude vient réchauffer ma nuque, une bouche effleure mon épaule et tous mes poils se hérissent. C'est souvent comme ça avec A: je le sens avant de l'entendre. J'écoute un instant sa respiration dans mon cou et je clos mes paupières dans l'obscurité du bar. Il me susurre à l'oreille:

— Tu fais tes devoirs?

— Non, c'est une lecture pour le plaisir.

— C'est bien, Ariana. Le plaisir est important.

Les discussions avec Alfredo prennent rapidement une tournure grivoise. Il embrasse ma clavicule droite, mais je le repousse avant qu'il n'atteigne la gauche, irritée par son retard.

— Ça fait une heure que je t'attends. Tu sais que j'haïs ça. Pourquoi tu m'as pas téléphoné ?

— Excuse-moi, *nena*...

Alfredo m'examine gravement.

— Mais... J'ai quelque chose pour me faire pardonner.

Ses iris sont bruns, ourlés d'un éclair doré, luisant d'une étincelle malicieuse. Ses cheveux gris-bleu dansent autour de son front. Je serre les mâchoires pour empêcher ma bouche de chercher la sienne. Il m'attrape les poignets et fourre un objet entre mes mains.

— Voilà !

Je déplie les doigts pour découvrir un petit anneau en plastique rouge serti d'un énorme faux diamant. Le truc semble tout droit sorti d'un sac en papier brun d'un joyeux festin McDonald's, entre le cheeseburger et le cornet de frites pour enfants. Je prends le bijou entre le pouce et l'index et fronce un sourcil, l'air de dire « Qu'est-ce que tu veux que je fasse de cette horreur ? » Alfredo sourit béatement, me tire brusquement vers lui et me balance par-dessus son épaule. Je me débats, la tête à l'envers, le tronc qui pendouille le long de son dos. Il m'ordonne de me calmer en m'administrant de bruyantes claques sur les fesses. Mes joues deviennent écarlates. Je voudrais être furieuse.

À la place, j'éclate d'un fou rire incontrôlable. Un trio d'Argentins curieux se tait pour suivre le spectacle inattendu. Ravi, Alfredo exécute quelques steppettes, me dépose au centre du bar et s'agenouille à mes pieds. La bague est solennellement posée au creux de ses paumes ouvertes.

Il s'arrête, l'air faussement nerveux. Je croise les bras sur ma poitrine, réprimant un nouveau rire tandis qu'il hurle :

— *¡CÁSATE CONMIGO POR FAVOOOOR!*

Je fais mine d'hésiter devant son regard suppliant, puis je hurle à mon tour :

— *¡CLARO QUE SÍÍÍÍ!*

Il m'embrasse à grandes lampées passionnées devant le trio qui applaudit.

Ce n'est pas la première fois qu'il me fait le coup pour se faire pardonner ses retards ou ses oublis. Et pour le show. Le pire, c'est que ça marche. Tout le temps. Je n'ai plus suffisamment de doigts pour compter le nombre de fiançailles publiques depuis notre rencontre. Ses folies font déborder mon cœur, frémir ma cage thoracique. Alfredo, mon homme-enfant mal rasé, au dos large et aux yeux cuivrés. Il a beau faire uniquement *semblant* de me demander en mariage, l'important, c'est qu'il le fasse avec moi, Ariane Desbiens, fille-enfant ni exotique ni extraordinaire.

Un des Argentins du groupe tambourine amicalement sur le dos de mon fiancé. Un autre désigne les deux chaises qu'il a approchées de leur table. On est officiellement invités à les rejoindre. Un verre de Quilmes atterrit devant moi tandis que je m'efforce d'écouter leur conversation. Ils parlent vitesse porteño (typiquement de Buenos Aires) et j'arrive à peine à capter les «*che*» et «*boludo*» en début ou fin de phrase. Trois quarts d'heure plus tard, ils se taisent enfin et on descend tous les cinq à l'étage inférieur pour aller danser. Deux travestis postés derrière un mixeur font vibrer les planchers. Nos amis argentins se dispersent, chacun part à la recherche d'une fille à ramener plus tard dans son lit.

L'électro défonce mes tympans, je regarde les danseurs bouger ; bouches ouvertes, bras tendus, genoux arqués.

Alfredo m'agrippe par les hanches et me presse contre sa poitrine. Je sens son pantalon enfler tandis qu'il caresse mes seins par-dessus mon chandail. Je l'embrasse. Il pousse son érection contre mon abdomen et une moiteur chaude envahit immédiatement ma culotte. Mon front arrive à la hauteur de son torse qui dégage une forte odeur d'épices et de transpiration. Je jette un autre coup d'œil à la foule dansante et, embarrassée par nos attouchements publics, je guide mon faux fiancé dans un coin plus tranquille du bar.

Son grand corps camoufle le mien et on profite de notre cachette pour se tripoter en paix. Il plonge ses longs doigts dans mes jeans. Une main frôle mon ventre, tandis que l'autre se dépose tranquillement le long de ma raie. Je gémis quand il effleure mes premiers poils pubiens. Alfredo descend chaque fois un peu plus bas, avant de remonter lentement et de recommencer. Rendu à la hauteur de mon clitoris, il s'arrête pour le taquiner doucement, prend son index pour dessiner des cercles autour, dessus.

Mon souffle s'accélère, mon cœur, déménagé dans mon entrejambe, menace d'éclater. Il cambre encore son bassin et je sens son érection pousser plus fort dans ma chair. Je presse son sexe en pensant à ce qui se trouve sous le tissu de son pantalon : un long pénis tellement doux, des testicules pleins, gonflés, menaçants, eux aussi, d'exploser. Je m'imagine les mettre dans ma bouche tout en essayant de faire glisser sa fermeture éclair, mais deux doigts s'introduisent brusquement dans mon vagin et j'arrête de respirer.

— Attention, *boludo*...

Je mords la base de son cou, follement excitée, déjà au bord de l'orgasme. Puis, je me rappelle le Kim y Novak, la musique, les travelos au mixeur, les autres danseurs qui nous espionnent peut-être. La pudeur m'emporte d'un coup et je retire sa main de mes jeans. Il faut aller chez lui, tout de suite, se déshabiller vite, faire l'amour longtemps. J'ai envie qu'il me voie toute nue, toutes lumières allumées, qu'il voie mes trous, tous, envie de l'embrasser partout jusqu'à qu'il éjacule sur moi, en moi, n'importe où. Avoir le sexe endolori, l'intérieur enfoncé, les muscles tendus. Ce n'est plus un désir, c'est un besoin, ça fait mal.

Je prends son visage entre mes mains, le fixe en mordillant ma lèvre inférieure. Alfredo comprend. Il effleure une dernière fois mon sexe humide avant de déposer un baiser pudique sur mon front et d'enfermer ma main dans la sienne. Pour lui, tendresse et sexualité se mélangent naturellement. Pour moi, ça forme une drôle de combinaison. Un genre d'anachronisme affectif. Sexe = amants. Sexe + tendresse = amoureux. En ce qui me concerne, avec Alfredo, je pourrais être la plus tendre du monde, jouer avec ses cheveux, caresser ses joues pour le restant de mes jours. Mais je sais qu'il n'est pas amoureux. Je me réfrène donc. Mais s'il ne m'aime pas, pourquoi est-il si… aimant ? Is this just a game ?

— *¿Estás bien ?*

— *Sí, vamos ya.*

Je plonge ma langue dans son oreille et sens son corps trembler du même désir-besoin. J'embrasse son cou. Il goûte le sel, le poivre et la sueur.

(Dublin)

Une odeur âcre, écœurante me ranime. Mes verres de contact semblent sceller mes paupières ensemble et je dois faire un effort pour les rouvrir. Il fait jour et il pleut. Je suis dans la chambre de Caroline, étendue sur un matelas au pied de son lit, enveloppée dans une lourde couverture de laine. J'ai froid. La puanteur vient de mon t-shirt humide, maculé de vomissures jaune orange. Je suis seule. Caro doit être partie travailler. Elle prépare des sandwichs pour le salaire minimum à la Bank of Ireland. C'est le taylorisme à son meilleur : un employé coupe une baguette avant de l'envoyer à un autre qui la fourre de viandes froides, de salade de thon ou de poulet, qui le passe ensuite au préposé aux condiments, aussi responsable d'ajouter les tomates, la laitue et le piment fort, qui le confie au dernier censé l'enfermer dans un sac en plastique et le déposer devant le client avec un sourire obligé. Excellente idée d'aller jusqu'à Dublin pour fabriquer des sandwichs à la chaîne !

Je descends à la cuisine pour mettre de l'eau à bouillir. Je retire mon t-shirt en frissonnant et le dépose dans un seau avec du savon à lessive et un peu de javellisant. J'espère faire disparaître les taches sur mon t-shirt de Pete Doherty. J'aurais dû acheter le noir, pas le blanc.

La viande fume sur le gril. J'ai prétexté devoir surveiller l'asado pour m'éloigner du groupe. « Mais ça cuit tout seul, Ariana... » Les amis d'Alfredo me font profondément chier. Le genre de groupe qui te donne l'impression de devenir minuscule. Je ne serai jamais assez cool pour ces gens-là. Des z'artissss de gauche qui ont visité toutes les expos, écouté tous les albums, vu toutes les pièces, regardé tous les films de l'Univers. Et attention ! Si tu mentionnes une œuvre dont ils n'ont pas encore entendu parler, c'est qu'elle est manifestement indigne de leur attention underground-desque. Ils doivent être les premiers à connaître, à savoir, à annoncer. Distribution généreuse d'analyses profondes et d'opinions éclairées en sus. Le diable est mainstream, le paradis inconnu de la masse.

Et il s'avère que, pour eux, *yo soy* la masse.

Le chien de Rafael est le seul vivant franchement sympathique de la soirée. Il ne parle pas, mais on le sent triste, suffoquant dans son manteau de poils en plein été buenos-aérien. Je l'imagine ailleurs, plus heureux, courant dans les feuilles d'automne, des bourrasques lui fouettant les babines et de la boue lui souillant les pattes.

Le bois brûle et la viande crépite, des gouttes de graisse tombent sur le brasier, provoquant chaque fois de minuscules explosions. Petite, j'avais découpé puis encadré une photo trouvée dans un catalogue Sears. Elle a longtemps trôné sur ma table de chevet. Un bouvier bernois, la gueule pleine de feuilles mortes, fendue sur son sourire de chien, fixait l'objectif. Un enfant rieur le chevauchait et, derrière eux, une lumière d'automne éclatante se faufilait entre les branches.

Alfredo est venu me chercher au café Oui Oui avec son camion boulimique. J'étais pourtant ravie de l'accompagner, de rencontrer son monde pour la première fois. Il m'avait assuré: «Ils vont t'adorer.» Pour plus d'emphase, il avait isolé les trois syllabes, A-DO-RER, en roulant fort ses *r*. Si ses amis m'aiment, ils le cachent bien. Je les jauge tandis qu'ils boivent leur Malbec en piétinant la musique de Devendra Banhart. Ça parle spanglish, ça a l'air cool. Des z'artissss, t'sais.

Je croise le regard d'Alfredo. Il lève son verre vers moi et je riposte avec un faux sourire et une coupe vide. Je préfère faire semblant que tout baigne plutôt que de me taper un autre: «*¿Todo bien?*» Je n'en peux plus de dire oui quand je pense non. Il ne m'aime pas. Il me trouve quoi, donc? Divertissante, drôle, désirable? The magic D's, rien de plus? Mon cœur se serre. Pourquoi il ne m'aime pas? Ou est-ce qu'il m'aime presque? Est-ce qu'il *va* m'aimer? Peut-être que ça lui prend plus de temps, plus de certitude, de baisers, de baises. Peut-être que ça s'en vient. Que la magie opère tranquillement.

Il voudrait que je me mêle à ses copains, que je participe à leurs conversations, que je fasse connaissance, que je me montre intéressée, intéressante. À la place, je tire ma chaise en plastique plus près de l'asado que je contemple comme si c'était un feu de camp laurentien. Je caresse les oreilles du chien en priant pour que la soirée se termine rapidement. Que je me retrouve enfin dans son lit, sous ses draps, avec son pénis bien ancré en moi. Mentalement, j'appelle le chien Gustave. Je trouve que c'est un bon nom de chien.

Le problème, ce n'est pas tant ses amis, au fond. C'est plutôt l'image qu'ils ont de moi qui m'énerve. Ou qui me «turlupine», comme disait mon père. Je suis «*la nueva chica*» d'Alfredo. La je-sais-pas-combientième pour je-sais-pas-combien-de-temps. *Yo soy* la trop jeune *Canadiense* aux yeux verts, à la crinière indomptablement frisée et à l'accent étranger de Française pas de France. *Nada más.*

Anyway, je n'ai rien à leur raconter. Je n'ai rien vu de neuf, pas d'exposition inédite à décrire, pas de poète obscur à citer, pas de film de répertoire à conseiller. Cette semaine, j'ai travaillé chez Oui Oui, j'ai gribouillé, lu le deuxième tome de la série *Divergent* et revu pour la quarante et onze millionième fois *As Good as it Gets*. Je le réécoute chaque fois pour les mêmes scènes. *La* même scène. Celle où Jack Nicholson se trouve en tête-à-tête au restaurant avec Helen Hunt, la grandiose, la plus belle. Découragée par son hostilité naturelle et son caractère de cochon, elle lui lance un ultimatum: «Ou tu me fais un compliment maintenant, ou je déguerpis de ta vie pour toujours.» Il se met à réfléchir et marmonne quelque chose comme: «I want it to be real good.» Finalement, après un long silence devant une Helen Hunt au bord de l'éclatement, il déclare: «You make me wanna be a better man.» Et là, mon cœur chavire. Je pleure comme un bébé surhydraté et j'appuie sur rewind.

La semaine dernière, j'ai couché avec Rafael, l'ami d'Alfredo. Moi, j'étais paquetée. Lui, insistant. Il m'avait invitée à boire un verre au Kim y Novak. Je voulais juste me désennuyer, je ne savais même pas qu'il me trouvait de son goût. C'est con, en plus, je me souviens à peine de comment ça s'est passé, je me rappelle juste le réveil: moi, gênée, toute nue, *quessé j'ai fait, câlisse?* Il arborait un grand sourire innocent, «Un café?» «*No, no, no, tengo que irme...*». Il paraît que les cocus finissent toujours par apprendre qu'ils ont été cocufiés. On va prier pour que cette fois soit une exception à la règle. En ce qui me concerne, l'imaginer avec une autre me rend malade.

Au fond, je pense que je sais pourquoi. Pourquoi j'ai couché avec Raf, je veux dire. Des fois, je me sens tellement ordinaire, tellement conne, insipide, laide. Je me compare aux Argentines, à toutes les belles filles (amantes potentielles de A), aux amis d'Alfredo. Ma vie gravite autour de lui, de Lisa, de Fé et de Nico du café Oui Oui. But mostly, ma vie tourne autour de Lui. Planète-moi dans ton univers. Ariane Desbiens insignifiante. Fille tempête de neige dans un verre d'eau. All my eggs in the same goddamn basket. Ma mère répète souvent qu'il faut investir dans plusieurs relations à la fois. Sinon, on risque d'être déçu. De se retrouver seul. De se faire rejeter et de n'avoir plus personne vers qui (autour de qui) se tourner. C'est peut-être pour ça qu'elle change d'amis comme de serviette hygiénique.

Une main se pose sur mon épaule. Alfredo. Je cesse de caresser le pelage du chien pour l'attraper et frotter ses doigts rugueux contre ma joue. «*¿Todo bien?*» Mais c'est la voix de Rafael. Je me retourne et l'ami de mon amoureux caresse furtivement mon cou. Je me sens comme dans *Indecent Proposal,* la promesse de rémunération en moins. *Quessé j'ai fait, câlisse?* En même temps, ça m'excite. Rafael le sait. L'interdit, genre. Je suis une salope. Alfredo, absorbé dans une conversation, ne nous prête aucune attention. Deux filles et un grand maigrichon rient à pleines dents de sa dernière plaisanterie. «*¡Aye que boludooo!*»

Cocotte,

Aux dernières nouvelles, rapportées par ton grand-père, tu serais à Dublin. Ça fait longtemps que tu ne m'as pas donné signe de vie...

J'ai l'impression que tu es fâchée. Que je t'ai fâchée. Je sais que c'est pas toujours facile entre nous. Mais comment veux-tu que ça s'améliore si tu restes loin? Tu ne crois pas que tu serais mieux ici, avec ta famille, entourée de ceux qui t'aiment?

Écoute, tu as juste une mère. Je crois que si tu ne profites pas de moi, de nous deux, tu vas le regretter un jour. Ça fait plus de cinq mois que tu es partie et j'essaie de te donner de l'air, de te laisser du temps. Mais tu n'es pas toute seule là-dedans. Ça me blesse et tu manques à beaucoup de monde.

Les gens ne vivent pas pour toujours. Ils nous quittent et puis on les regrette... On se dit des trucs comme «j'aurais dû» ou «si j'avais pu» ou «si c'était à recommencer». Tu devrais profiter de ceux qui sont encore là. Je pense que tu as compris maintenant à quel point c'est précieux.

Aussi, j'ai rencontré quelqu'un. Je pense que c'est sérieux et je voudrais te le présenter.

Écris-moi,

Ta mère qui t'aime

(Dublin)

— Ari, tu peux marcher?

— Hmmmm...

— Thiago va te porter, OK?

Le copain de Caro enroule mon bras en Jell-O autour de son cou et fait mine de me soulever.

— Rooooh, ça va... Je peux marcher!

Mes amis m'ignorent. Mes jambes sont elles aussi en Jell-O. On dirait une clocharde escortée par deux policiers. On a dansé toute la nuit. J'ai trop bu et Caro désapprouve. Elle, c'est vraiment le genre: je-sirote-ma-bière-toute-la-nuit-pas-besoin-de-se-torcher-pour-avoir-du-fun. Malgré mes pensées vaporeuses et le flou de la soirée, je ressens sa déception, son inquiétude. Depuis que je suis arrivée, elle me répète que j'ai changé. «Mais non, j'ai pas changé. Je suis juste plus sociable! C'est toi qui as changé, Caro.»

Thiago nous a emmenées au Bar with no name. Plafonds hauts rouge sang, chandeliers baroques et touristes en état d'ébriété sur trois étages. Tous veulent se mettre. Eille, toi! Admire mes protubérances, je pense à la tienne, j'ai plein d'orifices, oh kiss me baby. C'est écrit comme un slogan sur leur front. *The Scarlet Letter*, genre. Pas le *a* de adultère. Un gros *f*. Fourre, fuck, fornique.

Certaines nuits, je suis invincible. Comme celle-ci. Tout le monde m'aborde, tout le monde m'aime, tout le monde me veut. Mes poches se remplissent de bouts de papier sur lesquels des fans ont griffonné leur numéro de téléphone. Deux heures et demie du matin ont sonné et j'ai crié au meurtre. Ostie d'heure conne pour fermer un bar! À Buenos Aires, c'est à ce moment-là que tu *commences* ta soirée.

Les soirées avec A se terminaient toujours à l'aube. A ne trouvait jamais que je buvais trop. A buvait toujours plus que moi.

Souvenirs de mon père, 2 janvier 2013

- Les toasts au beurre de pinottes. Mon père s'autoproclame expert-tartineur en beurre de pinottes. Il a raison. Sa technique: sortir sa toast du toasteur avant qu'elle ne noircisse (elle doit prendre une jolie teinte caramel), puis, pendant qu'elle est encore chaude, la barbouiller rapidement de beurre. Ajouter par-dessus une épaisse couche de beurre de pinottes. En cas d'échec-lenteur qui empêcherait le caractère moelleux-fondant du mélange, réchauffer immédiatement au micro-ondes. Douze secondes (11, si t'as un modèle ultrapuissant), pas plus.
- Bec mouillé. Mon père donne des becs baveux. Des becs de babines retroussées. Chaque fois, je m'essuie abondamment les lèvres pour bien lui signifier ma révolte devant la moiteur de ses baisers.
- Cheveux gris. Mon père n'a pas de cheveux blancs. Ni de cheveux noirs. Sa chevelure est uniformément argentée. Je trouve ça beau, mais je lui avoue pas. Je lui avouerai jamais, finalement.
- Chips Ruffles et Budweiser. Les deux séparés, c'est pas pire dégueulasse, alors du mélange, je dis pas ce que j'en pense. Mais avec mon père, c'est différent. C'est le fun de s'en gaver au chalet, le vendredi soir, alors que l'humidité s'évapore à l'intérieur des murs froids. Le chalet se réchauffe lentement, papa fait un feu et on mange nos Ruffles, on boit notre Bud. On n'a pas besoin de parler pour remplir le silence.
- Cicatrice. À 9 ans, mon père s'est fait renverser par une voiture. Il garde de cet accident une énorme cicatrice qui lui traverse la poitrine du nombril au mamelon. Quelques poils noirs poussent sur son bobo. Mon papa, il est vraiment tough.

- Mon père m'appelle « cocotte ». À force de l'entendre, ma mère en a aussi pris l'habitude. J'ai toujours aimé me faire appeler comme ça. Chaque fois, j'imagine une vraie cocotte, qui tombe d'un arbre, qui sent bon et qui craque sous les semelles.
- L'after-shave de mon père sent l'alcool à friction mélangé au poivre mélangé à la cardamome. Il se rase dans l'auto, en regardant distraitement la route. Une fois sa barbe grossièrement tondue, il verse un peu d'after-shave (le liquide est bleu) entre ses paumes, frotte ses mains ensemble et se tapote les joues. Tap, tap, tap. Des petites claques. Et sa barbe pique encore.
- Les egg rolls. Mon père aime les egg rolls. Les egg rolls cheap, ceux que tu achètes congelés à l'épicerie. On s'en met sept au four: quatre pour lui, trois pour moi, qu'on mange avec un gros bol de sauce aux prunes. Si ma mère est là, elle demande où se trouve la portion de fruits et légumes dans notre « repas ». (Ma mère arrive à insérer des guillemets dans ses commentaires rien qu'avec une subtile inflexion de voix.) Mon père se défend: « Y a des carottes pis du chou râpé dans les egg rolls. »
- Jean s'achète jamais de vêtements neufs. À peu près une fois par an, mon oncle et mon grand-père font équipe pour remplir des sacs-poubelle de guenilles usées, déformées ou tachées. Mon père porte tout le temps leurs vieilles affaires, sauf quand il va travailler. Pour la job, il choisit des costumes bruns ou gris en corduroy qu'il agrémente de cravates kitsch achetées à la friperie Renaissance. De grosses barniques à monture foncée lui encadrent le visage. Mon père est un hipster involontaire.
- Jean habite dans le Mile-End, mange une fois par semaine au Café Cherrier, boit des pintes de pale ale au Helm sur Bernard et porte un K-Way quand il pleut. Il sait pas que c'est cool et c'est pour ça qu'il est cool.
- Il voue un culte à la Cage aux Sports et à la rôtisserie St-Hubert. De temps en temps, il m'invite aussi au Pacini

le plus dégueu, celui sur Sainte-Catherine, dans le Quartier latin. J'aime nos rendez-vous galants, peu importe où c'est.

- Pour mon père, un bon fromage, c'est du mozzarella Saputo ou du cheddar orange. Il prend ses hot-dogs steamés. Il aime le café instantané.
- Selon lui, un yogourt n'est réellement périmé que six mois suivant sa date d'expiration. Il aime pas le gaspillage. Il fera tout pour terminer les « restes », même si ça veut dire que, pour le petit-déjeuner, il trempera des vieux carrés aux dattes dans du fromage cottage.
- Papa n'a jamais froid. N'est jamais malade. N'est jamais blessé. N'a jamais mal nulle part.
- Si je suis malade, je dois faire au moins 42 de fièvre pour rester à la maison. Si je suis blessée, seul un cancer métastasé ou la perte d'un membre nécessaire à ma survie immédiate peut justifier mon transport à l'hôpital.
- Mon père aime ma mère. Je sais pas pourquoi. Il l'aime d'un amour fou, inconscient et injustifié. Inconséquent. Pourtant, ma mère est insupportable. Et j'ai beau savoir que mon père a lui aussi de gros défauts, je refuse de l'admettre. Mon père est parfait.
- Un jour, on revient de l'épicerie en voiture. Don McLean chante *American Pie* à la radio. Jean baisse la vitre et se met à chanter à tue-tête de sa voix nasillarde « Bye, bye, miss American Pie/Drove my Chevy to the levee/But the levee was dry... ». Je fais semblant d'avoir honte, mais je rougis de bonheur.
- « Ta mère est plus belle en pleine nature avec de la boue sur le visage que dans un resto chic avec du maquillage, des talons hauts, pis toute la patente. » C'est un des trucs les plus cute qu'il a dits. Je chercherai toute ma vie un garçon qui me préfère pleine de boue.
- Je m'ennuie terriblement de mon père.
- Mon père est irremplaçable.
- Je suis perdue sans mon père.

- J'ai toujours été perdue. Mais là, j'ai l'impression que c'est pire.

(Dublin)

— Ari, faut vraiment qu'on parle.

Ses yeux sont ceux d'un épagneul triste, d'une mère inquiète ou d'une amie déçue. C'est selon. Elle nous a servi deux grandes tasses de thé à la menthe d'une marque cheap qui laisse un goût amer. Les tasses sont dépareillées et la mienne est sale à la hauteur de l'anse.

— Je vis pas toute seule ici. Il y a Thiago avec moi... J'étais tellement contente que tu viennes. Tellement contente de passer du temps avec toi. Tu sais à quel point je me sens seule ici, des fois ! J'ai ses amis à lui, leurs blondes, mais mes amies à moi sont loin. Et je parle pas si bien anglais, fait que ça limite les rencontres...

Je sais exactement où elle s'en va. Je suis aussi totalement consciente de la légitimité de son discours. N'empêche, j'anticipe le coup. Pas au cœur, mais au ventre. Là où se situe l'orgueil mal placé.

— Ariane, tu dois te trouver un autre endroit où habiter. Je suis désolée, je m'excuse, mais Thiago en peut plus. T'es mon amie et je me sens responsable. C'est pas normal de rentrer tous les soirs à cette heure et dans cet état-là. Si c'était juste de moi, ce serait différent, je pourrais tolérer... Tu le sais comment t'es, Ariane. C'est rendu un sujet de chicane entre moi pis mon chum. Le tapage, l'alcool, les traîneries. Je l'aime, Ari. Je veux pas de problèmes dans notre couple.

Je hausse les épaules et je croise les bras.

— Ah bon ! Je savais pas que c'était ma faute si vous vous engueuliez. Je me souviens pas non plus de la propreté exemplaire de votre logement à mon arrivée.

Elle fronce les sourcils. Maman-amie n'est pas contente.

— C'était plus propre avant ! Déjà, tu fais rien comme ménage ! Trois personnes, ça salit pas mal plus que deux. Pis, fuck, Ari ! Te rends-tu compte que tu dépenses l'argent de ton héritage comme ça ? Lance-le donc carrément par les fenêtres tant qu'à y être ! Tu penses qu'il serait content, ton père ?

Mon cœur gèle. Ma voix est une pluie verglaçante.

— Sincèrement, Caro, comment je dépense mon argent, c'est vraiment pas de tes affaires. C'est bas en criss comme coup, ça.

Son visage se décrispe immédiatement, ses traits s'adoucissent et l'ombre de l'épagneul à trois pattes revient hanter son regard.

— Excuse, Ari. Je veux juste t'aider. Je voulais pas... Je suis désolée.

— Ça m'aide beaucoup, Caro, que tu me sacres dehors de chez vous, en tout cas. Merci bien. Surtout que j'en ai pas déjà assez comme ça sur les épaules.

C'est moi la championne des coups bas. Si j'étais elle, je ferais pareil. Je le sais. Je voudrais la paix avec mon amoureux. La paix dans ma nouvelle vie à Dublin. Je me suis transformée en fantôme pesant. Drôle d'oxymore : « fantôme pesant ». Fantôme sourd et bavard. Fille spectrale qui rentre tard, dort tard. Fille invisible qui finit le lait et le café sans en racheter. Fille testeuse de limites, qui pousse le monde à bout. Quand est-ce que mon amie va éclater ? Quand est-ce qu'elle va décréter que c'est assez ?

— Je vais t'aider à trouver, Ari. De toute façon, on est juste le 12 avril. T'as en masse de temps pour te trouver quelque chose avant la fin du mois.

Des larmes me montent aux yeux. Je voudrais ricaner méchamment. Me montrer hautaine et indifférente. Pourquoi je pleure ?

— Criss, Caro. Come on. Je suis venue pour te voir. Pour passer du temps avec toi. Je te jure que je peux faire plus d'efforts. Laisse-moi juste un peu de temps. S'il te plaît…

Elle ne dit rien. Déchirée, la Caroline. Elle se lève et me serre par-dessus la petite table qui nous sépare. Ma tête cherche refuge au creux de son épaule, mon menton se love entre ses seins. J'éclate en sanglots.

— Je sais, Ari… Tu vas voir, ça va aller mieux. Je suis là quand même. Juste... Prends-toi en main, cocotte.

Je pense : « cocotte ».

La chevelure de mon Argentin ondule entre mes doigts. Elle semble jouir de sa propre existence ; une entité séparée, mais complémentaire au corps de l'Amant. J'enroule une mèche grise autour de mon index, en retiens la boucle avec mon pouce, puis la relâche.

— Je suis en train de te friser les cheveux comme les miens.

— Comme les tiens ? Impossible !

J'ai envie de dire « je t'aime » depuis hier soir. Un « je t'aime » à la Gaston Miron. Après un après-midi parfait, une soirée parfaite, une nuit parfaite, un matin parfait, je me sens pleine. *Fulfilled*, ils appellent ça, les Anglais. Le bonheur. Le bonheur, c'est Alfredo. On est partis s'acheter six minicroissants qu'on tartine de dulce de leche dans le parc des Bosques de Palermo. Le soleil estival de février nous brûle le visage. Des joggeurs, des marcheurs et des patineurs à roulettes font plusieurs fois le tour du petit lac artificiel devant nous. Ils passent et repassent, et je surprends leur regard sur nos visages illuminés. J'imagine qu'ils nous trouvent très beaux. Même mon front sourit.

Je suis belle avec Alfredo. Plus belle que je ne l'ai jamais été, peut-être plus belle que je ne le serai jamais. Je respire un grand coup. Go.

— Alfredo, je pense que je t'aime.

Il sourit, comme si j'avais dit quelque chose de drôle.

— Tu *penses* que tu m'aimes?

— Oui, je *pense*. Je PENSE, OK? Je veux qu'on soit toujours ensemble. Ça peut marcher. À long terme, je parle. Genre conte de fées. On pourrait "vécurent et eurent beaucoup d'enfants", non?

Il éclate d'un rire joyeux et attire ma bouche contre la sienne. Son doux baiser me laisse une impression étrange. Son baiser équivaut peut-être à un non. Son baiser manque de conviction.

La chicane a pogné quand il m'a interrogée sur mes «projets».

Planification/futur/demain/carrière/adulte. Quand il se la joue sérieux, Alfredo raisonne en français. Misteure Polyglotte.

On est dans sa cuisine, devant nos assiettes de fettucine carbonara. Toute la semaine, il m'a cuisiné des repas pour me forcer à avaler quelque chose. Des petits plats bien gras que je picore du bout de la fourchette, que je goûte de l'extrémité de la langue. Je disperse la nourriture dans les coins, de façon à ce que je paraisse en manger davantage qu'en réalité. Selon lui, je deviens «décharnée». Il faut bien quelqu'un qui a le français comme langue seconde pour arriver avec une expression pareille. Des fois, il parle vraiment comme un dictionnaire des synonymes.

— Mes plans ?

— Oui. Pour plus tard. Pour maintenant, aussi.

Ostie, le gars n'est même pas capable de me dire qu'il m'aime, pis il veut qu'on parle ensemble de mon futur !

— *¿Planes ? No tengo planes.*

Quand je ne veux *pas* parler sérieusement, je réponds en espagnol à son français. Drôle d'amusement, le ping-pong bilingue.

— Ariana, ça fait combien de temps que tu vis à Buenos ? Cinq mois ?

— Cinq mois, deux jours, huit heures, quatre minutes, douze secondes.

— Je suis sérieux…

— Moi aussi !

Alfredo lève les yeux au ciel. Les dernières fois, c'est à ça qu'il s'en tenait : contempler le plafond ou le ciel d'un air exaspéré. Je préfère les soupirs et les roulements d'yeux aux questions sur mon avenir.

— Ariana, tu es une fille tellement talentueuse. Intelligente. Belle. Tu pourrais faire ce que tu veux. J'ai vu tes dessins. Tu es douée, tu es jeune, tu as un million de possibilités, d'opportunités ! Pourquoi tu ne vas pas étudier en arts ? Je connais plein de professeurs à la UBA. Je pourrais t'aider à y entrer.

— *¡ Trabajo en un café ! Es eso que hago.*

— Tu travailles deux jours par semaine, *nena*. Le reste du temps, qu'est-ce que tu fais ?

Je voudrais changer de sujet, détourner la conversation. Lui lancer un sort amnésique pour revenir à 10 minutes plus tôt. Je caresse sa cuisse en remontant tranquillement le long de la fourche de son pantalon.

— Le reste du temps, je fais ça…

Je presse son pénis à travers le tissu, en attente de son érection. Il repousse ma main avant.

— *¡Joder! No, Ariana.* Je suis sérieux. Je m'inquiète pour toi. *Te quiero mucho.*

— *¿Ah sí? ¿Me quieres?*

— Je t'aime à ma façon, ma belle. J'aime passer du temps avec toi, tu le sais. On en a déjà parlé. Tu dois vivre un jour à la fois avec moi. Mais ton futur, c'est autre chose. C'est ta vie et tu n'as rien qu'une chance pour la réussir. Tu ne peux pas continuer à flâner comme ça à Buenos Aires. Tu perds ton temps. *Te estás perdiendo, nena.*

Je commence à m'énerver. Il est qui, lui, merde ? Môssieur l'Artissss qui donne des cours de français à temps partiel et qui a pas une crisse de cenne se donne le droit de me faire la leçon ?

— Au lieu de scruter ma situation, tu devrais peut-être te concentrer sur la tienne, Alfredo Caseres. T'as quel âge au juste ? 39, 40 ans ? Moi, j'en ai 22. Tu as fait quoi de si extraordinaire jusqu'à maintenant ? Tu fais quoi de ta vie ? On dirait ma mère, criss.

Il respire. Comme s'il se préparait à quelque chose. Une guerre peut-être.

— Ou ton père, si tu préfères.

Mon assiette de carbonara fume. Moi aussi. Ma mâchoire se serre. Mes poings aussi.

— Ben oui, comme mon père. Parce que tu pourrais avoir l'âge de mon père, right ? Ça t'excite de fourrer une p'tite jeune. Pis qu'est-ce que t'en as à foutre que j'aie pas mal de temps libre, pis que je me saoule de temps en temps ? C'est quoi, là, faudrait que je fasse de quoi d'extraordinaire tous les jours ? Laisse-moi vivre, OK ? Occupe-toi de toi.

— Oui, je m'occupe déjà de moi. Mais toi... *¿De qué te estás huyendo, boluda?*

— DE RIEN ! Je m'enfuis de rien ! C'est quoi, là ? Un consensus pour me faire chier ? Je peux pas respirer en paix un peu ? T'as jamais entendu parler de gens qui partent en voyage ? Je suis en voyage, c'est tout. Je découvre une autre culture, j'apprends une nouvelle langue, j'ai un travail. Pis, de toute façon, je vois pas de quoi tu te plains. Ça t'arrange en criss que je sois là pour te payer des verres pis des lignes de coke. Que je sois là pour te baiser quand tu veux.

— *Ariana. No.*

— Eille, fuck you ! T'es un criss de profiteur.

— OK, ça suffit. Tu sais qui je suis. Et je ne suis pas avec toi pour ça. *No estoy contigo por eso.* Jamais. Tu te calmes ou tu t'en vas.

— Parfait ! Excellent ! Je m'en vais. J'ai pas besoin de ça. Trouve-toi une autre p'tite jeune pour te vider.

J'attrape mon assiette et en secoue le contenu au-dessus de la poubelle ; les nouilles séchées restent collées et, d'un geste rageur, je laisse tomber l'assiette et les aliments au fond. Alfredo se lève et me somme une seconde fois de me calmer, de me rasseoir et de respirer par le nez. Ça me rend plus furieuse encore.

Mon inconscient me contemple de haut. *Qu'est-ce qui te prend, sacrament ?* Mais je sais ce qui me prend. Il me prend que c'est trop. Que tout est trop. Que je peux plus faire semblant. Que je suis écœurée. J'attrape mon sac et me dirige vers la porte. Avant de la claquer, je gueule :

— Surtout, pas la peine de téléphoner, je répondrai pas !

Devant l'immeuble, j'attends quelques minutes. Je regrette déjà. C'est peut-être irréparable. Je voudrais qu'il me coure après, qu'il vienne me chercher, qu'il me supplie de rester, « va-t'en pas », qu'il me prenne dans ses bras. Jamais deux sans trois, qu'ils disent. Peut-être qu'il va revenir et me répéter de me calmer. Mon inconscient refait surface et j'écoute mon cœur bitch slapper ma poitrine. *Les gens ont leurs limites, Ari. You are crossing the line ! Il voudra plus se faire chier avec toi, maintenant. T'as tout gâché. C'était bien tant que c'était simple. Mais t'es devenue compliquée.*

J'essaie d'inspirer profondément, mais un sanglot me fait hoqueter, m'étouffant presque. J'ouvre mon sac à la recherche de mon iPod. J'entends le cliclic de la petite roulette dans mes oreilles jusqu'à ce que j'atterrisse sur la lettre *r*. Dans la liste de chansons, je m'arrête à la lettre *v*. C'est la dernière. Richard Desjardins, remède passager à la réalité. La musique commence et je respire un peu mieux.

Va-t'en pas
Dehors les chemins sont coulants
Les serments de rosée
Va-t'en pas

Respire, Ariane. Respire.

(Bruxelles)

Chère maman,

Je vais bien. Je suis à Bruxelles. J'aimais pas trop Dublin, finalement. Il fait très gris là-bas et il pleut presque tous les jours.

Bruxelles, c'est mieux. J'ai l'impression qu'il fait soleil plus souvent. Puis, ça fait du bien de pouvoir parler français un peu. J'ai trouvé une chambre dans un quartier très cool, ça s'appelle Saint-Gilles et c'est plein d'étudiants. Je vais peut-être aussi me chercher un travail. Je t'écris d'un petit café qui s'appelle L'Union. C'est bourré de monde, tellement que j'ai de la misère à me concentrer pour t'écrire. Tiens, je pourrais peut-être leur demander s'ils ont pas besoin d'une serveuse.

Je suis pas fâchée, maman. J'ai juste besoin d'air encore. Donne-moi du temps, s'il te plaît. Et t'en fais pas pour moi. Ça me stresse plus qu'autre chose.

J'espère que ça se passe bien avec ton nouvel amoureux.

Je t'embrasse,

Ari

PS : Donne un gros bec à grand-papa de ma part. C'est sa fête demain, non ? Dis-lui que je suis heureuse qu'il me suive sur la mappemonde.

Souvenirs de mon père, 8 mars 2012

- Au sommet du mont Washington. J'ai les cuisses, les fesses et les mollets endoloris. Mon père m'explique que c'est parce qu'il sont remplis d'acide lactique. On a escaladé la plus haute montagne du nord-est des États-Unis. Je suis pas sportive comme lui, mais j'ai hérité de son orgueil. Quatre heures de montée. En haut, le vent nous bardasse et j'ai froid. Heureusement que la vue est spectaculaire. J'ai de la misère à croire que mes pattes m'ont portée jusque-là. La plupart des touristes s'y rendent en voiture et s'achètent ensuite le fameux sticker : « This car climbed Mount Washington ». Je les considère avec une touche de mépris (This body climbed Mount Washington, you lazy asses !), mais ça m'empêche pas d'essayer de convaincre papa de faire du pouce pour redescendre. « Mais non, t'es capable, Ari ! Envoye, un dernier p'tit effort ! » Ma fatigue débat avec mon orgueil et je crois que c'est ma fatigue qui va l'emporter. « Papa, je préfère redescendre en voiture... j'en peux plus là, j'suis crevée... » Je lui fais mes yeux les plus doux. Mon regard moelleux qui le rend mou. Mon père rouspète, mais c'est déjà dans la poche : je le convaincs toujours, anyway. C'est ça, quand on est sa cocotte.

- « Je t'aimes. » À ma fête de 17 ans, mon père a écrit « Je t'aimes » dans une carte avec des fleurs séchées sur la couverture. Aussi, il disait « ta garde-robe » pour désigner le meuble, pas le trousseau de vêtements. Il disait « ta t-shirt ». Il avait de la difficulté à différencier le masculin du féminin. Il était nul en français. Mon père venait d'Ottawa et il roulait ses *r*. Arrrriane.
- Mon père était petit. J'adorais le traiter de nain, de nabot, de gnome. « Regarde qui parle ! Et puis, vous saurez, madame, que je mesure 5 pieds 7. C'est pile dans la moyenne masculine. » Pourtant, il me dépassait à peine d'un tiers de tête. Mais si mon père n'était pas grand, il était vraiment bien bâti.
- Il maîtrisait deux recettes, chacune dénichée au dos de cannes de soupe Campbell's. Et chacune servie avec une purée de patates en poudre reconstituée de marque Choix du Président (la moins chère). Spécialités paternelles, donc :
  1. Bœuf à l'oignon. Recette : tu sacres de la palette de bœuf dans le four avec une boîte de soupe à l'oignon à feu doux sans la surveiller pendant environ 8 heures.
  2. Poulet aux arachides. Recette : tu sacres quelques cuillerées de beurre de pinottes, de la sauce soya et une canne de condensé de crème de champignons sur quatre poitrines de poulet, le tout à 350 degrés Farenheit. 25 minutes plus tard : tadaaaam, c'est prêt. Après que mes parents ont divorcé, chez mon père, je mangeais deux affaires : du poulet aux arachides et du bœuf à l'oignon.
- Un jour, pour ma fête, il m'a fait des biscuits au beurre de pinottes. (Il avait trouvé la recette derrière le pot.)

Depuis qu'il est mort, je n'arrive plus à me représenter fidèlement ses traits. J'essaie de retrouver l'arête de son nez, la courbe de ses lèvres et la lueur de ses yeux. Sans succès. Je peux encore reproduire mentalement sa carrure, ses avant-bras, ses jambes courtes, son cou fort, son ample tronc. Mais les particularités de son visage ont disparu. Les souvenirs s'effritent. Un jour, il n'en restera plus.

(Bruxelles)

Mal aux cheveux, aux orbites, aux doigts, à la mâchoire, aux genoux, aux aisselles. Bruxelles. Une bière, une toast, affirmait ma mère. Je dois avoir ingéré l'équivalent de trois baguettes et de 18 tranches de pain.

Je m'étais assoupie sur la banquette d'un café du Parvis de Saint-Gilles. I was feeling blue. Des Québécois sont arrivés : un garçon et deux filles. L'identité sexuelle de l'une d'elles portait à confusion. Tout son être respirait l'ambiguïté : prototype lesbien de fille garçonne. Mais joli(e).

Selon ma mère, l'homosexualité est nécessairement la conséquence d'un stress post-traumatique. Un genre de maladie mentale. T'as viré lesbienne parce que, petite, t'as manqué d'amour paternel, parce que t'as pas été assez cajolée ou écoutée. Même chose si ta belle-mère était pas smatte ou si on a abusé de toi. D'après elle, l'homosexualité, c'est clairement pas *normal*. Mais c'est elle qui est *clairement* pas normale.

Ça doit bien faire une semaine que je passe mes journées à La Maison du Peuple, un café-bar-resto du Parvis. Je perds mon temps à relire les sœurs Brontë et Jane Austen, à écrire des lettres que je n'enverrai jamais, à dessiner des oiseaux. Parce que je ne dessine plus que des oiseaux. Des ombres d'oiseaux dans des ciels sombres, des envolées d'oiseaux, des portraits de mésanges à tête noire, de geais bleus, d'aigles, de pigeons. Des oiseaux haut perchés sur des arbres. Des becs d'oiseaux, des pattes d'oiseaux, des yeux d'oiseaux.

En relisant *Orgueil et Préjugés*, j'ai retrouvé Mr Darcy, mon premier amour. Il a tenu le rôle principal de mes premiers rêves érotiques. Mais c'était le Mr Darcy incarné par Colin Firth dans la version cinématographique de 1995, pas la tache de l'adaptation récente poche avec Keira Knightley.

Je ne bouge plus du Parvis de Saint-Gilles, me confinant à ses frontières, n'osant même pas m'aventurer dans Ixelles, le quartier voisin. Le centre m'a trop donné le mal de mer. Une vague de touristes polyglottes qui m'emportait dans son remous angoissant. Je n'ai jamais été à l'aise dans l'océan, chahutée par ses marées mouvantes. Je préfère la terre, moi.

Je somnolais malgré la demi-douzaine de cafés qui remuait dans mon ventre, quand j'ai entendu l'accent familier de ma/mon pays/nation/province. J'ai ouvert juste un œil, pour ne pas qu'on me surprenne à épier. Des Montréalais. Ils avaient l'air gentil. Je me demande comment on fait pour avoir une tronche sympathique. J'imagine qu'il ne faut être ni trop beau ni très laid. Un genre de visage abordable : pas trop cheap, pas trop cher. Je ne suis pas certaine d'avoir moi-même la face invitante. Pas que je me croie resplendir d'une beauté exceptionnellement inaccessible ou que je m'imagine absolument affreuse, mais je m'interroge : est-ce qu'on me regarde de loin ou de proche en songeant « elle a l'air fine, la frisée » ?

Je les ai surveillés quelques secondes, mes prunelles faisaient le va-et-vient de mon livre à eux. Je gardais les oreilles grandes ouvertes pour les entendre être Québécois. Je me suis rappelé que, quelque part, j'avais aussi des amis.

— Eille, vous êtes Québécois ?

— Ouais ! Toi aussi ?

Serrements de main, accolades. On boit un coup ? On boit un coup. J'avais l'impression de les connaître déjà. Et mon dimanche bleu a viré au rose.

On a vite déménagé à L'Union, quelques portes plus loin. Les bières y sont moins chères. On a bu de la Troll, de la Tripel de Westmalle et de la Duchesse de Bourgogne. Quelques heures plus tard, nos ventres gargouillaient, alors on s'est trouvé un resto pas loin du Parvis. L'établissement, spécialisé en viande cuite sur la braise, offrait un genre de parilla bruxelloise. Mon premier vrai repas en trois jours. J'ai recouvré l'appétit devant mes côtelettes d'agneau et mes nouveaux amis. Des fois, manger, ça fait aussi se sentir vivante.

Le Québécois s'appelle Ricardo. Il a les cheveux roux et son père est Mexicain. Un Mexicain roux, c'est aussi insolite qu'un bébé moustachu, qu'un Chinois aux yeux débridés, qu'un chien bleu unijambiste (j'exagère pour le chien). On a jasé un peu en espagnol. Le Mexique affrontait l'Argentine. «*¿Qué pedo, guey?*» «*¿Che boludo, qué onda?*» Les deux autres semblaient s'ennuyer un peu, alors on a arrêté. La fille-fille s'appelle Laurence et la fille-gars s'appelle aussi Laurence. Je m'imaginais le même individu divisé en deux, personnage androgyne aux moitiés complémentaires.

— Tu fais quoi ici?

Je leur ai raconté mon histoire, la bouche pleine de côtelettes. Pas l'histoire qui commence à Montréal, mais celle qui aboutit en Argentine, en Irlande, puis en Belgique. Ils arrivaient de San Sebastian, une station balnéaire du nord-ouest de l'Espagne. Ils m'ont vanté ses bars, ses couchers de soleil, ses pintxos.

— Ils parlent pas catalan là-bas?

— Non, à San Seb, ils parlent basque et espagnol. Tu confonds sûrement avec Barcelone. La Catalogne, c'est au nord-est de l'Espagne. San Sebastian, c'est la péninsule au nord-ouest, le Pays basque. Mais les deux régions sont indépendantistes, comme nous.

— Ah…

Je n'avais pas envie de parler politique. Mon argumentaire pour la souveraineté se résume à peu : la protection de la langue, bla-bla-bla, la spécificité culturelle, bla-bla-bla… Heureusement, on a discuté de voyages, d'Europe, des Européens, des trucs qui nous manquent le plus (le Kraft Dinner, le café filtre, l'automne). Ça a commencé à tourner après la je-sais-pas-combientième bière. Laurence fille-gars avait posé sa main sur la banquette tout près de ma cuisse. Son corps irradiait et, plus la soirée avançait, plus elle se rapprochait. Un peu comme quand, au cinéma, ta date entoure progressivement tes épaules de son bras. Elle testait, je pense, voir si je la rabrouerais. Ou *quand* je la rabrouerais.

Je ne l'ai pas rabrouée. Elle a roulé une cigarette en deux temps trois mouvements (j'ai trouvé ça sexy).

— Tu viens fumer ?

— OK.

Je ne voulais pas fumer, mais je voulais qu'elle m'embrasse.

— Je t'en roule une ?

— Non merci.

Dehors, il faisait froid et on se serrait l'une contre l'autre pour se réchauffer. Entre deux bouffées, je me suis penchée sur elle. Je n'avais encore jamais fait le premier pas avec un garçon et voilà que je le faisais avec une fille. On s'est embrassées, doucement d'abord, du bout des lèvres, puis plus vite et plus fort. J'étais excitée, grisée. Elle goûtait le tabac aux fruits, la bière et la cannelle. Quand elle m'a agrippé les fesses, j'ai avoué que je n'avais jamais fait ça avec une fille. Ça n'a pas trop eu l'air de la déranger. Tout à coup, j'ai eu envie de virer lesbienne. Tomber amoureuse d'une fille, l'épouser, adopter un enfant. *C'est sûrement plus simple pour les lesbiennes*. Après s'être mutuellement mangé la face, on est retournées à l'intérieur. On riait comme des petites filles malcommodes. J'avais hâte de rentrer avec elle et je les ai invités tous les trois dans mon petit deux-pièces de location.

Laurence-fille et Ricardo se sont installés en bâillant sur le sofa-lit et j'ai fait signe à Laurence-garçonne de me rejoindre dans mon lit. On s'est caressées. Longtemps. Partout. Je n'avais encore jamais touché à d'autres seins que les miens. Les siens étaient plus gros et très doux. J'ai joui deux fois. Elle, elle n'a pas joui. J'étais comme pas prête à la toucher là. Elle avait quand même l'air contente. En me réveillant, sa main gauche reposait sur mon sein gauche et ma tête nichait dans le creux de son coude. Une fille ou un garçon, quelle différence, au fond? Peut-être que je suis lesbienne, finalement. Ou bisexuelle.

A fait encore des culbutes dans ma tête. Même si, d'ici, on pourrait croire qu'il n'a jamais vraiment existé. Est-ce que c'est normal que quelqu'un qui passe si vite dans ta vie prenne autant de place?

Mon poids existentiel dans la balance de *sa* vie est infime, minuscule. Insignifiant. Je suis passée comme un claquement de doigts dans sa liste de chicas. Comme un couteau tranchant dans du beurre mou. Comme quand on pédale en vélo sur la plus petite vitesse pour descendre la côte.

Je pourrais peut-être retourner en Argentine. Ou aller en Espagne. Sinon, les Pays-Bas, paraît que c'est vraiment beau… Quand mon magot paternel s'épuisera, je travaillerai. Serveuse, caissière, vendeuse, laveuse de vaisselle, danseuse, escorte, n'importe quoi. De toute façon, j'en ai encore pour quelques années à tout dépenser.

Certes, je dois m'habituer à demeurer insignifiante. À n'être qu'une miette dans le bordel de la vie des gens.

Dans les jeux de tarot, il y a une carte qui s'appelle Le Monde. C'est ma préférée. Peu importe où elle se place dans le jeu, elle prédit des belles choses, un avenir réconfortant. Mon père était cette carte dans mon jeu de tarot intérieur.

Quant à ma mère, je la sais démunie sans moi. Pour elle, je suis tout, mais pas parce que c'est *moi,* pas pour qui *je* suis. J'ai de l'importance parce que c'est comme ça qu'elle trouve sa place dans l'Univers. Je lui donne une raison d'exister. Au fond, c'est moi qui l'enfante. Constamment. Grand bébé légèrement ridé. Ça fait un drôle de triangle amoureux, quand même. Moi qui cours après mon père, ma mère qui court après moi… mais qui court après ma mère ? Mon père. Avant.

Je ne veux pas y penser. Ça boursoufle mon cœur qui se gonfle, prêt à exploser. Pauvre petit, il doit être tout poqué. Des fois, pour sauver son cœur, il faut éviter de penser. On érige autour une armée de déni.

J'ai mal à la tête. Les Québécois sont partis. Je les ai mis dehors. À cause de Laurence. Je ne voulais pas qu'elle se fasse d'idées, qu'elle insiste pour qu'on se revoie. Et puis, les deux autres nous jaugeaient drôlement ce matin. Genre : « Eille, on savait pas que t'étais lesbienne, toi aussi ! » Pourtant, je leur ai raconté pour A…

A.

Hier était bleu, puis rose. Aujourd'hui, c'est gris. Parce que A culbute encore dans ma tête et que je ne me trouve pas de bonne raison pour exister.

Mes parents m'ont toujours encouragée à faire du sport. Eux partaient en ski de fond au parc du Mont-Tremblant, et moi, je chialais sur les pistes de ski alpin. J'imagine que j'aurais dû témoigner ma gratitude pour ces milliers de dollars vainement dépensés en cours de ski, en équipement, en habits et en chocolats chauds. Perso, je n'aspirais qu'à rester au chalet pour écouter les bonhommes du week-end. J'ai souvent versé des larmes glacées au sommet du mont Tremblant quand le vent brûlant s'infiltrait jusque derrière mes orbites. Je déteste skier. Je déteste le froid. Je déteste l'hiver québécois. Faut croire que je partage au moins une chose avec ma mère.

Je préfère le vélo. Mais à 32 degrés et sueurs conséquentes, l'exercice se révèle moins attrayant.

A mène, Loïc pédale à sa suite et, devant moi, Lucia avance tant bien que mal (plus mal que bien). Je ferme la course. Happy to be last, contente de grimacer en tout anonymat. La tête me tourne et je dois me concentrer sur les fesses de Lucia pour continuer. Ses mollets sont couverts de boue. Il a plu hier soir et nos roues font revoler la gadoue sur nos jambes. Les deux garçons roulent sous trente-douze mille degrés Celsius comme si c'était le truc le plus naturel du monde. De temps en temps, Lucia se retourne pour me faire des grimaces. On est sortis il y a une vingtaine de minutes de la Bodega La Rural en riant aux éclats. Il n'y avait rien de particulièrement drôle à part le fait qu'il était exactement 15 h 32 et qu'on se trouvait déjà dans un état d'ébriété passablement avancé. L'alcool donne du courage. Puis, une fois parti, ça décourage. Ostififuck de criss ! Dix-sept kilomètres de pédalage ivrogne de La Rural à López, un autre vignoble plus au sud... Et en plus, c'était mon idée. Si au moins le vin avait le pouvoir d'hydrater.

— Des pinottes !

— *¿ Qué ?*

— Un pet !

— *¿ Cómo ?*

— *Muy fácil. Let's go, chicos.*

Mon enthousiasme s'est vite effrité et, sincèrement, j'ai même un peu envie de brailler. Concentration: les fesses de Lucia qui se balancent sur sa selle, bientôt l'arrivée, impressionner Alfredo, montrer qu'Ariane Desbiens est forte, courageuse et capable. Une pancarte annonce *Maípu, López, 200 metros* et le peloton masculin hurle de joie. Le féminin se concentre encore pour franchir les derniers mètres vivant.

On pose nos vélos à l'entrée du vignoble et on court vers la porte en bois massif qui nous souhaite le «*Bienvenidos*».

Quand Alfredo m'a proposé de l'accompagner à Mendoza, j'étais folle de joie. Il avait enfin vendu une de ses toiles et proposé à son acheteur de la lui livrer en personne. J'ai vite déchanté quand il m'a appris que Lucia et Loïc, un couple d'amis, nous accompagneraient. Mais, finalement, ils me plaisent bien, tous les deux. Surtout la belle et bruyante Lucia. Elle porte une jupe trop courte qui se retrousse au moindre de ses mouvements en dévoilant le haut de ses cuisses fermes. Elle fait exprès et tire dessus, l'air navré. «Oups!» Loïc la sermonne même s'il aime bien au fond que sa copine réveille les libidos endormies. Je me demande si, moi aussi, je réveille parfois des libidos endormies. Est-ce que A est fier de se balader aux côtés d'une petite sauvagesse de 20 ans?

Un sexagénaire nous accueille et Alfredo se charge de la discussion, prenant bien soin d'emprunter son jargon de faux connaisseur. Il hoche gravement la tête devant le bonhomme qui lui vante les qualités de son fameux Chateau Montchenot. «*Sí, sí, claro. Sí, conozco.*» Loïc éclate de rire et je dois mordiller l'intérieur de mes joues pour m'empêcher de pouffer. Je sais qu'il s'y connaît à peine plus que moi en œnologie, mais ses cheveux argentés lui donnent un air sérieux qui nous garantit un tour VIP du vignoble. Je soupçonne que la jupe de Lucia y est aussi pour quelque chose.

L'homme décrit longtemps le fonctionnement de la viticulture, les procédés de fermentation et de distillation. Au début, je prête l'oreille, intéressée. Je retiens que le vin blanc peut aussi se faire avec des raisins rouges. Mon corps se détend tranquillement après la randonnée à vélo et j'ai très envie de me reposer. Je pince le coude d'Alfredo et, quand notre hôte détourne les yeux, je mime un bâillement exagéré.

Quinze minutes plus tard, on s'installe tous les quatre sur une petite terrasse qui surplombe le vignoble. Le soleil de Mendoza descend tranquillement dans le ciel trop bleu. Une brise presque fraîche souffle sur nos visages moites et les poils de mes avant-bras se hérissent sous le vent. On déguste le fameux Chateau Montchenot, gracieuseté de notre hôte qui croit sûrement qu'on lui en achètera une caisse en sortant. Le soleil fond à l'horizon. A caresse mon genou. Lucia chuchote à l'oreille de Loïc qui rougit.

Je suis heureuse. Parfaitement heureuse. Presque trop. C'est étrange d'être aussi consciente de l'étendue de son bonheur. Depuis l'Argentine, depuis l'amour avec un grand A, les moments de félicité parfaite se sont multipliés et j'oublie plus souvent le reste.

Je sais que c'est la faute à A. Que je suis dépendante de lui pour toutes ces nouvelles joies. Je voudrais qu'on se perde ensemble quelque part, longtemps, tout le temps, n'importe où. Personne ne nous retrouverait. Et il resterait avec moi, toujours, il ne pourrait plus partir, de toute façon, et il m'aimerait parce qu'il n'aurait plus que moi sur son bout d'île ou de montagne.

(Bruxelles)

Le cœur dans la gorge. Au fond de l'estomac, plutôt. La première fois que je les ai entendues, j'étais à Montréal. Je les ai trouvées quétaines. La vérité, c'est que je n'avais jamais vraiment écouté les paroles de leurs chansons. Une amie à moi leur disputait la victoire aux Francouvertes. Mais ce sont Les sœurs Boulay qui ont gagné. Ici, j'entends uniquement parler belge ou flamand. On me souligne mon accent, comme s'il n'y avait qu'une seule et vraie manière de parler français. Revenez-en, criss.

J'ai beau être à Bruxelles, en terre francophone, je m'ennuie cruellement du québécois. Je veux m'exprimer sans devoir faire de concession culturelle. Être comprise sans besoin de contextualisation excessive. Mes expressions, mon folklore me manquent. Je me saoule donc de Desjardins, d'Adamus, d'Avec pas d'casque, de Ferland, de Dufresne, de Charlebois. C'est mon ami YouTube qui m'a fait redécouvrir Les sœurs Boulay. Quand je suis tombée sur *Mappemonde*, mon cœur a fait trois triples axels dans ma poitrine. Des fois, la musique, ça fait faire du patinage artistique à tes organes, du marathon à tes émotions.

De grosses larmes roulent sur mes joues. Je pense à A. Je voudrais tellement qu'il comprenne. Qu'il entende la chanson et que ça lui fasse aussi penser à moi. Qu'il admette qu'Ensemble aurait pu devenir grand. Peut-être qu'il changerait d'idée. En anglais, ils parlent d'*acknowledgement*. Reconnaissance. Reconnais-moi, A. Marque-moi au fer rouge sur ta poitrine. Tatoue-toi mon nom sur le chest (je me tatouerai le tien où tu veux). Pour ne pas oublier. Pour être toujours ensemble. Aime-moi et regrette de m'avoir laissé partir. Viens me chercher. Aime-moi donc.

(Dublin)

Lost in translation.

On aime juste pour être aimé en retour. Puis, si on a la chance infinie d'aimer et d'être aimé en retour, on sabote tout.

On se déplace de ville en ville. On rencontre du monde. Plein de monde. On accumule des expériences de vie qui finiront par se fondre dans le tas, par ne plus rien valoir, par ne plus avoir de sens.

Je suis tellement vide que le vide pèse.

Repartir à zéro. Peser sur rewind. Revenir plusieurs mois en arrière et partir comme pour la première fois. Avant l'Asie. Avant tout. Jésus, j'en peux plus. Mon cœur est une bombe à retardement. Faites que je n'explose pas. Ou, si j'explose, faites que le coup soit fatal, sans douleur et permanent.

Je suis un chien qui court après sa queue à l'infini, un alcoolique qui quête son avant-avant-dernier verre, une mère qui n'aura jamais d'enfant.

Je rugis et il ferme les yeux. Comme l'enfant qui pense que le monde n'existe plus quand ses paupières sont closes.

Depuis quelques jours, c'est l'escalade des conflits.

Ma tristesse, son rejet. Lui irrité, moi demandante. Moi qui dois prendre ce qu'il me donne sans vouloir plus. M'estimer heureuse et comblée. Parce que c'est moi qui aime, c'est moi qui dois tolérer. Il ne voit pas ce que je vois. Il ne voit pas toute la peine, toute, toute la peine qu'il me fait. Je l'aime trop. C'est peut-être ça le problème. Je croyais pouvoir vivre avec un je-t'aime-moi-non-plus. J'imaginais au fin fond de moi que le vent tournerait en ma faveur. Mais on ne peut pas rester avec quelqu'un qui ne nous aime pas. À moins d'avoir la sensibilité d'un lama, l'intelligence émotionnelle d'un pissenlit.

— Qu'est-ce que tu fais avec moi, Alfredo, merde ? Combien de temps on va continuer à se fréquenter comme ça ? Combien de temps avant que tu te tannes ? Ça te sert à quoi d'être avec quelqu'un que t'aimes pas ?

Il lève les yeux au ciel, exaspéré. Je ressasse toujours les mêmes affaires. Profite donc, pis ferme ta gueule. Il ne me l'avouera jamais, mais c'est sûr qu'il le pense.

— *Te quiero mucho, Ariana.*

— *Me quieres, me quieres,* tabarnak. *Pero no me ames!*

— *No. No te amo.*

Jamais encore il ne me l'avait avoué formellement, jamais je ne l'avais entendu prononcer les mots précis, clairs, sans équivoque. Je le savais, mais je le reçois quand même comme un coup de poing dans le ventre.

— Pourquoi tu m'aimes pas, ostie ? Je suis pas assez belle ? Pas assez intelligente ? Trop vieille ?

Coup bas numéro trente-douze. Quand je parle d'âge, je sais que je m'approche de ses limites. Que les risques de l'enrager croissent dangereusement. Il reste silencieux, maître de lui-même. Oh, so in control ! J'ai très envie de pleurer.

— Arrête avec ces conneries d'âge.

Il soupire, réticent à avancer sur le champ de bataille. C'est la guerre et on joue à se faire mal.

— C'est quoi la différence, Ariana ? *Estamos juntos. ¿Estamos bien, no ?*

En espagnol, le verbe *estar* signifie « être dans un état de non-permanence ». Tu ne peux pas dire : *estoy grande.* Parce que le fait d'être grand est inaltérable (bon, en faisant exception des vieux qui rapetissent). Le cas échéant, tu dois utiliser le verbe *ser*. *Ser* signifie aussi «être». Mais être en permanence. Au lieu de «*estoy grande*», tu diras donc: «*soy grande*». Alfredo a dit: «*Estamos bien.*» «*Estamos juntos*», ensemble. Ben justement. *Estamos* jusqu'à quand, fuck? Il y a une date d'expiration sur notre relation. Pour une fois que je veux vraiment être avec quelqu'un, ce quelqu'un me rejette. Un petit démon de lucidité siffle entre mes oreilles que si je veux autant être avec lui, c'est sûrement parce qu'il recule.

Ses sourcils sont froncés et un point d'interrogation est apparu au milieu de son front. Un point d'interrogation espagnol, double: un à l'endroit, un à l'envers.

— Jusqu'à quand Alfredo?

— *¿Qué?*

— Je veux savoir. Me préparer mentalement. Quand est-ce que tu vas me sacrer là?

— ...

Je danse l'amour univoque. Un peu comme quand il manque de partenaires masculins dans un cours et que tu dois placer tes bras dans les airs en faisant comme si tu tenais un danseur imaginaire. Tu imagines une taille sous ta main gauche, une épaule sous ta main droite et tu exécutes les pas. Tu fixes le vide et tu fais comme s'il y avait un visage qui rencontrait le tien. En fait, moi, j'ai le partenaire. Sauf qu'il ne danse pas.

Il va se fâcher. Il déteste que je le pousse, que je le presse, que je cherche des réponses ou que je me projette dans son futur. Alfredo vit maintenant. Je le soupçonne de s'être un jour fait briser le cœur et de n'avoir jamais réussi à le réparer complètement. Peut-être que c'est pour ça qu'il se sauve. Ça me rassurerait de savoir que c'est la faute d'une autre.

Moi, je me sauvais tout le temps avant. Dès que le gars appelait trop souvent, dès qu'il s'autorisait en public à prendre ma main entre ses doigts ou ma bouche entre ses lèvres, je prenais mes jambes à mon cou. Cette fois, c'est moi qui veux. Rester à Buenos Aires, emménager avec lui, former une équipe: team AA contre l'Univers. On vivrait un instant sur l'héritage de papa. Il pourrait même arrêter l'enseignement pour se concentrer sur sa peinture. Et moi, je retournerais à l'école pour étudier les beaux-arts.

«Mais tu dois le faire pour toi, Ariana… Je ne peux pas être ta seule motivation.» Autant A vit au jour le jour pour lui-même, autant il n'a aucun scrupule à venir fourrer son nez dans mes projets d'avenir. Il se prend pour mon orienteur, je crois. «Tu devrais dessiner plus, arrêter de bosser au Oui Oui, te consacrer à tes études, profiter de ton talent, bla-bla-bla…»

Des larmes s'accumulent au coin de mes yeux. J'essaie de les retenir.

— Réponds-moi, Alfredo.

— Je ne sais pas quoi dire. Je n'ai pas de réponse, Ariana. Tu sais déjà ce que je pense.

— Tu pourrais m'annoncer n'importe quand que t'es pus intéressé. Que tu t'es trouvé une autre étrangère de 20 ans. Que tu veux faire ta vie avec elle. Pour de vrai.

— Je suis avec toi parce que j'aime être avec toi. Ça n'a rien à voir avec l'âge. Je ne serai pas en couple. Ni avec toi ni avec personne.

Je le crois à moitié.

— *Te amo, Alfredo.*

Je l'enferme dans la cage de mes bras, force ma tête contre sa poitrine, embrasse son cou. Mes lèvres sont humides de larmes salées.

— Mais qu'est-ce qui me manque ? Qu'est-ce qui me manque, A ? Explique-moi…

— *Nada. No te falta nada,* ma belle.

Des fois, on n'y peut rien. On est impuissant. Je pourrais continuer avec A jusqu'à ce que ça pète. Mais je ne pense pas pouvoir survivre à son rejet. Son rejet ultérieur imminent. Ça fera trop mal. Pour la première fois, vraiment, je voudrais me perdre dans des bras pour toujours. Me partager. Me fondre en lui. Comme ces êtres unicellulaires qui n'ont besoin de rien ni personne pour assurer leur survie. Ils se refont naturellement. S'autoengendrent. 1 + 1 = 1. Je *sais* que c'est lui. Que ça ne pourra jamais être plus ni mieux.

Je dois me sauver et il ne me suivra pas. Je m'imagine A, essoufflé, de la pluie plein les cheveux et plein les yeux, qui supplie : « Je me suis trompé – je t'aime – j'avais tort – ne pars pas – reste toujours avec moi – until death do us part. » Câlisse d'ostie de films poison à marde. Propagande toxique. Des vies entières ruinées par *Cendrillon* et *Autant en emporte le vent*. Des plaies télévisuelles qui nous pourrissent le cœur et l'esprit. Pendant ce temps, on blâme Leni Riefenstahl et Fox News. On est vraiment cons.

Je devrais claquer fièrement la porte et ne plus jamais me retourner, mais l'image ensorcelante de Rhett et de Scarlett me poursuit, me dit d'attendre et d'espérer. Rhett Butler refusait de se laisser décourager aux premiers signaux d'adversité. Il persévérait. Et puis, j'ai beau être chiante, je n'ai rien à voir avec O'Hara. Elle, elle fait vraiment partie d'une catégorie supérieure d'irritabilité. Dans la vraie vie, il n'y a pas de chevalier servant. De prince sauveur. Dès que l'autre ne nous trouve plus totalement parfaitement idéale, il nous laisse tomber.

Dans ma tête résonne la bande sonore de mes résolutions molles. Elle chante *Lovefool* de The Cardigans : *Love me, love me/Say that you love me/Fool me fool me/Go on and fool me.*

Le temps est venu de partir, de me construire une armure incassable, imperméable et coupe-vent. J'approche son visage du mien. *Su cara cabe perfectamente entre mis palmas abiertas.* Je dépose un dernier baiser sur sa bouche, pressant mes lèvres contre les siennes avec insistance. Pour le convaincre de m'aimer. Aime-moi donc, sacrament!

Mon père était l'aîné d'une famille de huit. Dans le lot, un bébé mort, une handicapée mentale, une alcoolique et un ex-détenu. Mon père est le seul à avoir fréquenté l'université. Il a obtenu un postdoctorat en administration.

Une veillée de Noël, ma tante Linda me raconte qu'elle a fait une fausse couche à 23 ans, sur le sofa du salon de la maison paternelle. Elle se bidonne. Sa main camoufle sa bouche, ouverte sur des dents brunes. Elle croit me gratifier d'une anecdote hautement cocasse.

Linda a pris quelques kilos au cours des derniers mois. Elle met ça sur le compte de sa journalière caisse de 24. Un jour de semaine, tandis qu'elle regarde la télé, de grosses crampes lui tiraillent le ventre. Crampes menstruelles? Gastro? Empoisonnement alimentaire? Elle termine sa caisse et en entame une autre, histoire de tomber dans un coma éthylique et d'éradiquer le mal. Elle a beau geindre, personne ne l'entend; mon grand-père est parti travailler et ma grand-mère, qui a fait un AVC, est encore aux soins intensifs.

Une autre demi-douzaine de Labatt plus tard, la douleur s'intensifie, tellement que Linda commence à s'inquiéter sérieusement. Souffre-t-elle d'une crise de foie? Ma tante n'a aucune idée d'où se situe son foie et, étant donné la profondeur de ses connaissances anatomiques, il pourrait aussi bien se trouver au même endroit que son utérus. Linda déniche une bouteille de fort dans l'armoire du salon, «du gin, c'était», pour endormir définitivement les crampes. (Boire, une excellente façon de guérir une crise de foie.) Finalement, c'est elle-même qui s'endort et, quand grand-papa arrive du boulot, il découvre sa fille sur le divan du salon avec un tas ensanglanté entre les jambes. Un fœtus baigne dans l'amas de muqueuses. Grand-père la secoue, paniqué, et Linda se réveille, encore saoule.

Je l'ai écoutée avec un sourire gêné. Ils ont fait quoi avec le fœtus? Je ne le lui ai pas demandé. J'imagine le bébé jeté avec les restes de cendrier dans les toilettes. Il tournoie un instant dans le sens des aiguilles d'une montre avant de disparaître sous la terre, dans les égouts.

Mon père nous a rejointes dehors, sous l'abri-tempo, alors que Linda terminait son récit en tirant sur un gros joint. Ses ronds de fumée réchauffaient l'air froid de décembre. Papa se taisait. Il était visiblement mal à l'aise.

Il ne se souvient pas de s'être baladé en voiture sans tenir un bébé dans ses bras ou un enfant sur ses genoux. Les huit frères et sœurs entraient de justesse dans la petite Renault. Lui, le plus vieux de la portée, servait de siège aux plus jeunes.

Il mangeait du ragoût avec des patates presque tous les soirs. Ma grand-mère réclamait au boucher les morceaux les moins chers: le foie, la tête, le cœur, la panse, les boyaux. Côté patates, elle se surpassait en originalité: bouillies, sautées, au four, en frites, en purée, en rondelles avec de l'ail ou des oignons, avec des carottes, avec des navets.

Toute sa jeunesse, mon père a porté des pantalons recouverts de patchs. Faute de budget pour l'achat de vêtements neufs, sa mère cousait des pièces de tissu par-dessus les trous et les déchirures. À la fin, il ne devait même plus rester de tissu originel. Ses pantalons étaient faits de rectangles colorés. Un genre de courtepointe pour les jambes.

Il était très fier de ses parents, de sa mère surtout : une Irlandaise à forte taille et aux sourcils toujours froncés. Une femme dure, autoritaire, que je n'ai personnellement jamais vraiment appréciée. Il lui manquait la douceur des grands-mamans gâteau, de celles qui cachent des bonbons dans les poches de leur grand tablier. Il faut dire que je l'ai uniquement connue après son AVC et qu'elle était déjà à moitié paralysée. Mon opinion est peut-être biaisée par sa maladie.

J'imagine que je ne serais pas la personne la plus agréable à côtoyer si je pouvais mouvoir uniquement la moitié gauche de mon corps. Reste que tout ce qui sortait de sa bouche avait des relents vindicatifs. Grand-papa avait continué à travailler dur, en plus de s'occuper de sa femme, de ses ados et de Lucie, sa cadette au corps d'adolescente et à l'âge mental d'un poupon. Quant à mon père, il étudiait à l'Université d'Ottawa, se remplissant la tête pour s'assurer un avenir différent.

Le père de mon père est mort riche. Mort d'avoir trop trimé, trop économisé, d'avoir pensé à tout le monde avant lui, toujours effrayé par le monstre Pauvreté qui lui montrait ses longues incisives. Mais c'était un Séraphin généreux. Lui, c'était la peur qui le rendait cheap, pas le goût de l'argent.

On descendait à Ottawa quelques fois par an, ma mère, mon père et moi, pour visiter mes aïeuls. Je me réveillais à l'aube dans l'ancienne chambre de mon père, autrefois partagée avec deux de ses frères cadets. Le lit de mon père dormait sous la fenêtre. Les deux autres reposaient contre les murs opposés, en diagonale de la porte.

Pieds nus sur le carrelage froid, j'épiais mon grand-père qui s'affairait dans la cuisine. « Va te mettre des pantoufles ! »

Je devais choisir parmi la multitude de chaussons tricotés qui s'empilaient dans le panier en osier de l'entrée.

Il parlait mieux français que ma grand-mère. Le matin, je l'observais préparer le petit-déjeuner, mes petites fesses posées sur ma chaise haute. Œufs, toasts et café instantané. Jus d'orange pour moi. Chaque fois, il me posait la même question :

— Comment tu veux tes œufs, ma belle fille ?

Je répondais :

— Brouillés.

Chaque fois, il posait devant moi deux soleils noyés dans un blanc laiteux.

La seule fois où j'ai vu mon père pleurer, c'est quand il a appris la mort de son propre père.

TROISIÈME PARTIE

See My Girl

Paris. En route vers Pau. Entre P1 et P2.

Je ne partirai pas avant samedi. Les billets achetés à la dernière minute coûtent une fortune. Voler vers Porto ou Barcelone serait moins cher. Mais j'ai décidé Pau, alors Pau ce sera.

Je dois tuer le temps jusqu'à samedi dans le ventre de Paris gris. J'ai débarqué au métro Belleville à cause du jeu que j'ai inventé.

Une fois dans le métro, tu t'installes devant un plan de la ligne, un de ceux qui se trouvent au-dessus des portes coulissantes. Tu le contemples un instant avant de fermer les yeux et de les rouvrir encore sur le plan. C'est un peu le même principe que de choisir une destination voyage en faisant tourner un globe terrestre sur son socle ou en arrêtant ton doigt au hasard sur la mappemonde.

Dans mon jeu, tu dois mémoriser le premier nom de la station sur laquelle tombe ton regard. Un exemple : je voyage sur la ligne violette qui va de Porte de Clignancourt à Mairie de Montrouge. Ferme les yeux, ouvre les yeux ; je tombe sur Saint-Sulpice. Referme les yeux, rouvre-les encore : Château d'Eau. Pour choisir entre les deux, je dois m'imaginer que le nom de la station deviendrait le prénom de mon futur enfant. J'appellerais mon fils Saint-Sulpice ou Château d'Eau ?

Aujourd'hui, j'ai joué. Embarque sur la ligne marron, m'installe devant le plan de la ligne : Belleville. Répétition du procédé : Porte des Lilas. Porte des Lilas Desbiens ? Ouache. Belleville Desbiens ? La classe ! Des fois, le choix se révèle plus déchirant. Imaginez choisir entre Sébastopol et Télégraphe. Ou Ternes et Malesherbes. Hard stuff.

Le jeu m'a donc dicté le prénom de mon futur enfant imaginaire ainsi que mon arrêt: Belleville. Cinq minutes plus tard, je sors en me frayant un chemin parmi les passants pressés. Je longe la rue du Faubourg du Temple (encore un nom de rue pas d'allure!) et je m'arrête au premier café WiFi que j'aperçois pour trier mes courriels et pitonner un peu.

Quatre jours à Paris. J'ai décidé avant même de m'y rendre que je n'aimerais pas la capitale française. J'ai décidé que Paris manquait d'âme. Que Pau serait plus jolie. Que Pau me conviendrait parfaitement. Wishful thinking. Je mise sur P2.

J'ai choisi le sud à cause de l'accent. À cause de sa situation: pas loin de la mer, près des montagnes. En espagnol, *ubicar* veut dire «situer», «se trouver». Son substantif, *ubiquidad,* signifie l'omniprésence, la qualité d'être à plusieurs endroits en même temps. En français, *ubiquité* a le même sens. L'omniprésence. Étrange pourtant qu'on n'utilise pas également *ubiquer.*

J'irai en Espagne quand j'en aurai assez, quand je voudrai ventiler ailleurs. San Sebastian s'ubique justement à moins de deux heures de Pau.

Il y a l'ESAC à Pau. L'école supérieure des arts et de la communication de Pau. Une petite université. Rien à voir avec les grandes institutions parisiennes. J'imagine les filles des grandes écoles de Paris avec leurs sacoches Givenchy, leurs longues jambes maigrelettes de mannequins savants, leur moue hautaine avec des lèvres pulpeuses et des cils trop longs de bébé Bambi. Pas sûre qu'elles deviendraient mes meilleures amies. Surtout pas si elles s'appellent Marion ou Delphine. Des prénoms gossants de Françaises gossantes.

J'ai téléphoné pour savoir s'il était encore possible de m'inscrire à l'ESAC. «Non, mademoiselle, c'est impossible, car il ne reste plus que cinq semaines au trimestre d'hiver. Nous vous conseillons de vous inscrire au trimestre prochain.» En attendant, ils offrent, pendant l'été, des cours de dessin deux fois par semaine. «Des modèles vivants seront mis à votre disposition.» D'accord, madame, c'est correct. Deux jours par semaine de peinture, cinq autres pour me trouver un boulot. Une jobine dans un café, dans une boulangerie, un resto, whatèveu. À Pau, je me garderai occupée. Déambuler n'est plus une option.

Le nouveau président de la République prononce un discours dans un coin du bistro. Les clients regardent la télé sans l'écouter. C'est drôle qu'il n'existe pas d'expression signifiant à la fois qu'on regarde *et* qu'on écoute. Certains clients poussent des soupirs méprisants, d'autres invectivent carrément le président. Pauvre François. Une chance qu'il ne les entend pas. De toute façon, personne ne se satisfera jamais de la conjoncture politique. Je veux bien croire qu'on cherche toujours l'amélioration, le plus, le mieux, l'idéal, mais pourquoi est-ce qu'on n'est jamais content? Maudits Français. Maudits humains.

Deux espressos plus tard, je passe la porte du café et j'accuse une gifle d'air glacial. Si j'en entends un autre m'expliquer que ma québécité devrait m'empêcher d'avoir froid, je l'étrangle. Le froid parisien est bien plus insidieux, bien plus hypocrite que le nôtre. Il pénètre par tous les pores, humidifie vos entrailles et souffle sous votre peau pour vous glacer le sang.

Je monte la rue du Faubourg du Temple à bon pas, frissonnante. Le sang se remet tranquillement à circuler dans mes jambes et dans mes bras. Au coin de Simon-Bolivar, un McDo me fait signe d'entrer. J'ai envie de sel, de gros gras sale, de mauvais sucre et d'antivomitifs. Je commande deux Big Mac et une petite frite (pas de poutine en France, ostifi!). Drôle: partout dans le monde, le McDo offre ses «spécialités locales». Je me souviens qu'en Thaïlande, la multinationale proposait une espèce de burger au cari. Dans le sud des États, un genre de taco-burrito mexicano. En France, c'est un sandwich juteux au jambon blanc arrosé d'une sauce pseudo-béarnaise. Oh, McDo! Majestueux caméléon gastronomique.

Le ciel se déchire d'un coup. Une pluie, fine et coupante, tombe sur Paris. Les citadins s'entassent sous des porches en attendant que le ciel se referme. D'autres font la guerre des parapluies sur les trottoirs étroits. Chacun tente de monopoliser un bout de bitume. Je contemple la jungle humide au-dehors en mastiquant. Je n'ai rien avalé depuis hier. J'ai parfois l'impression d'avoir perdu l'habitude de manger, de n'avoir plus goût à la nourriture. J'étais tellement gourmande, avant! Mais maintenant, manger ou ne pas manger, c'est presque pareil. Il y a juste le sentiment de faim qui va et qui vient. Mon ventre est devenu plat, mes cuisses ne se touchent plus. Les garçons me regardent moins. Mes formes ont disparu.

Il y a des filles minuscules qui participent à des concours de gros mangeurs. Ça me rappelle la Japonaise qui avait gagné un concours de hot-dogs aux États-Unis. La bridée d'une centaine de livres avait supplanté tous ses adversaires, avalant plus de 40 saucisses et autant de pains briochés en une dizaine de minutes. Sa technique: tremper ses hot-dogs dans l'eau. Ils se transforment en une sorte de bouillie dégueulasse, mais qui descend plus rapidement. Quant à moi, mon corps de femme-enfant me dicte d'emporter deux chaussons aux pommes pour la route. Il faut souffrir pour être belle.

Je longe Simon-Bolivar jusqu'aux Buttes-Chaumont. Il pleut encore, mais j'aime bien cet endroit qui me rappelle le Mont-Royal. Un peu de vert est bienvenu au milieu de Paris gris. J'enfonce mes écouteurs dans mes oreilles et je choisis une playlist au hasard. Carole King chante *Tapestry,* puis *You've Got a Friend,* mais je préfère la version de James Taylor.

J'ai le souffle court et les jambes lourdes en progressant sur le sentier. Je m'encourage en pensant au Rosa Bonheur, le bar de lesbiennes qui trône au sommet des Buttes. Je pourrai me reposer un peu et travailler sur mon taux d'alcoolémie. Je songe distraitement à ma nouvelle résolution : moins boire, arrêter la déambulation. *Demain. J'arrête demain.*

Il est 15 heures et des boules disco lancent déjà des éclairs argentés sur la piste de danse. Quelques couples se dandinent, leurs visages dégoulinants de bonheur. Au fond de la salle, une voix androgyne annonce un concours de je-sais-pas-quoi avec la chance de gagner une année de cinéma gratuit « pour toi et ta bien-aimée ». Je m'installe près de la baie vitrée, le plus loin possible de la voix, après avoir commandé un demi-litre de rosé. Je n'ai rien apporté à lire, mais j'ai toujours de quoi dessiner.

Je lisse du plat de mes paumes une feuille froissée et je commence comme je commence souvent, en traçant de longs oiseaux noirs. Je fais le ciel gris clair et je dispose mes oiseaux migrateurs en V inversé. Le vin est bon. Je bois souvent du rosé l'après-midi. C'est léger et ça goûte l'été, pour faire oublier la grisaille de Paris, la ville laide. Je ferme le V en dessinant d'autres volatiles. Leurs ombres dans le ciel prennent la forme d'un œil.

C'est ce que j'aime des oiseaux. Comme les nuages, ils se chevauchent pour inventer de nouveaux dessins. Les envolées d'oiseaux évoquent parfois des visages, parfois des mains, parfois des monstres. Je dessine un iris foncé à la pupille dilatée au centre de l'œil des oiseaux. Leurs ailes sont des cils, les nuages lointains, des sourcils broussailleux. Je me demande quel œil ça représente. Peut-être celui de A, mais non, l'iris est trop foncé et il lui manque sa lueur dorée.

Je crois que c'est l'œil de mon père. Mon père avait des yeux d'oiseau et des sourcils en nuages.

Les chaussons aux pommes se sont retrouvés dans la cuvette avec la bouteille de rosé, les deux Big Mac et la petite frite. Je dois être plus douce avec mon estomac, le dompter graduellement, l'entraîner. J'infirme par le fait même la rumeur qui veut que McDo fourre des antivomitifs dans ses burgers.

Je pourrais retourner à l'auberge et me reposer au dortoir, mais j'ai encore envie de me balader. Je bois un Sprite au bar avant de sortir. Les petites gorgées et les bulles soulagent mon estomac, calment ma faim. Je descends les Buttes, les jambes alourdies et la tête qui tourne. Des taxis font la course sur le boulevard. Je fais signe à un des pilotes et m'écrase mollement sur sa banquette arrière.

Le chauffeur se retourne:

— Vous allez où?

J'hésite.

— Au musée.

Il me dévisage, l'air railleur.

— Lequel?

— Euh... le Centre Pompidou.

Le Centre Pompidou est fait de tuyaux, de tubes et d'armatures qui s'enjambent et se croisent. Un genre de cacophonie visuelle, de catastrophe moderne. On se croirait devant un échafaudage pour hamsters. Ou au paradis de la robinetterie. C'est là qu'atterrit le défunt plombier (Mario Bros) une fois franchi le portail où l'attend saint Pierre (pis l'autre, là, son acolyte, Yoshi). Des escaliers roulent le long des bouches transparentes et, malgré la laideur d'un édifice qui se veut avant-gardiste (à prononcer avec un accent d'American), tout en haut, la vue est jolie.

J'ai l'impression de regarder un de mes dessins d'oiseaux. Une foule impressionnante de pigeons se disputent le paradis de la robinetterie. Beaucoup trouvent que les pigeons sont des oiseaux abjects. Moi, je les aime bien. Les pigeons sont les pissenlits des volatiles. Je les remercie intérieurement de sertir de plumes et d'ailes cette horreur de bâtiment.

Le Centre Pompidou présente une expo spéciale sur les femmes artistes du 20e siècle. J'imagine qu'un siècle plus tard, j'en suis une aussi. Une femme artiste. En apprendre davantage sur mes prédécesseures ne me fera pas de mal.

J'avais neuf ans quand j'ai visité un musée pour la première fois. Le Louvre, c'était. J'accompagnais ma mère pour un congrès à Paris. Premier et dernier voyage que j'ai fait seule avec elle. C'était dans le temps où j'incarnais une mini-Denise, une wannabe Denise, une clonette Denise. Elle me trimballait partout, j'étais son accessoire de mode préféré.

De ce bref et premier séjour parisien, ce qui m'avait le plus marquée, c'est l'immense structure en cristal qui domine l'entrée du Louvre. Un triangle parfait formé de carrés parfaits, purs et transparents. Mon «moi» enfant était resté longtemps immobile devant, à le fixer, les yeux ronds. Les formes régulières, la surface immaculée. Le verre qui laissait doucement filtrer la lumière. Le soleil qui, sorti de sa cachette un instant, faisait scintiller les gouttes d'eau sur la construction de verre. Le triangle brillait. «C'est tellement beau, maman!»

L'intérieur du Louvre, lui, m'avait déçue. J'étais intimidée et je ne savais pas où donner de la tête, où donner des yeux. Tous ces tableaux me faisaient pitié. Les toiles échappaient aux coups d'œil désabusés et amorphes de leurs contemplateurs, productions banalisées dans la surabondance. Le monde regardait mal. Il était là par obligation, parce qu'à Paris, il faut passer par le Louvre et feindre l'intérêt.

Mes parents m'ont souvent répété que les artistes sont voués à manger des bines et à habiter des taudis. C'est peut-être pour ça que je n'ai pas choisi les arts à l'UQÀM. Mais au fond, je sais que non. La vérité, c'est que c'est plus difficile d'échouer dans un domaine qu'on aime que dans un autre qui nous indiffère. D'où le choix des comm. Choix lâche. Pas que je sois une communicatrice particulièrement douée (et encore moins passionnée), mais le fait est que c'est un bac facile. Trois ans de pognage de cul. Tout ce qu'il fallait, au préalable, c'étaient de bons résultats. Et j'ai toujours eu de bons résultats. (Ce qui, j'en conviens, ne prouve rien de mon intelligence.)

Je me suis sauvée de ce que je voulais vraiment faire. Si un écrivain devait un jour raconter ma vie, l'incipit irait à peu près comme ça: «Il était une fois une fille qui voulait avoir réussi, mais qui n'avait encore jamais essayé.» Et le titre: *C'est pas parce qu'on se ment à soi-même qu'on se croit* (long, certes, mais approprié).

Mes peintres préférés se comptent sur les doigts d'une main, deux doigts en moins. Mes connaissances artistiques sont limitées. Étrange pour une fille qui se proclame et se veut un peu artiste. Mais ce n'est malheureusement pas parce qu'on se plaît à faire une chose qu'on la connaît bien. Par exemple, j'ai un ami musicien qui n'écoute que Led Zep, The Cure et les Stones. Je ne sais même pas s'il pourrait nommer une chanson des Colocs et il doit penser que

Vivaldi, c'est une région d'Italie. N'empêche, cet ami-là joue de la guitare comme s'il n'y avait pas de lendemain. Et il chante mieux que Steven Tyler.

Donc. Le voici, mon palmarès artistique (limité et inculte):

Número uno: Van Gogh

Ses tournesols me font brailler. Sa chambre m'émeut. Ses nuits étoilées sont autant de voyages.

Je crois que j'aime aussi Vincent pour son histoire. Misérable artiste à l'oreille estropiée reconnu post-mortem. J'ai visité le musée Van Gogh lors d'un voyage à Amsterdam en secondaire 5. Monsieur Lafontaine et moi étions les seuls à avoir manifesté de l'enthousiasme pour l'activité. Les élèves (et l'autre chaperon) avaient préféré filer en douce dans les cafés à pétards pour choisir le genre d'herbe qui les ferait buzzer.

J'ai beau avoir lâchement choisi communication, j'ai quand même suivi deux ou trois cours optionnels intéressants. Dans un cours de littérature, on apprenait ce que c'est l'intertexte. «L'ensemble de textes mis en relation par un texte donné.» En gros, ça signifie que, pour mieux comprendre un livre, il faut aller voir ailleurs ce qu'on dit du livre ou ce que le livre dit des autres livres. Avec Van Gogh, j'ai cherché l'intervie. J'ai voulu tisser un fil invisible entre lui et moi pour dénicher, dans son existence et dans ses œuvres, ce qui nous rapprochait, au-delà de l'éloignement spatiotemporel. Je voulais voir si nos parallèles de vie devenaient parfois perpendiculaires. Et justement, j'ai eu l'impression de le rencontrer par des moyens détournés.

J'ai fouillé un peu sa correspondance avec Émile Bernard et celle avec Paul Gauguin. J'ai lu quelques-unes des lettres à son frère Théo. Puis, la semaine dernière, je suis tombée sur une photo dans *Arts Magazine*: Émile Bernard assis devant Vincent, un tête-à-tête au milieu d'un paysage blanc. J'avais vu l'image au musée Van Gogh quelques années auparavant. J'avais considéré distraitement la photo et je me souviens seulement d'avoir pensé que Bernard était vraiment beau bonhomme.

Cette fois-ci, l'apparition a été fulgurante. J'étais complètement estomaquée devant la photo, abasourdie, traversée d'une douleur imprévue et fulgurante : comme quand tu grimpes à une clôture, que tu glisses et que tu atterris raide sur le dos. Un instant, tu te demandes si tu retrouveras un jour la faculté de respirer normalement.

L'image date de 1886. Un mince tronc d'arbre coupe la photo en deux. On dirait presque deux moitiés juxtaposées après coup. Dans la partie gauche, au loin, on aperçoit un édifice rectangulaire sur lequel est écrit en lettres foncées : *Vins* et *Restaurant*. Sur la route, à distance, un homme se tourne vers le photographe. Un pont traverse le côté droit de l'image. Le pont, flou, est pris au loin dans la grisaille. On ne distingue pas le visage de Vincent ; rien que son dos, son manteau et son chapeau foncés. Une forme horizontale dépasse de son épaule droite. On croirait que c'est la main de Bernard, mais ce n'est peut-être qu'un rocher ou un débris gisant dans l'eau de la Seine. Les traits de Bernard, eux, sont très nets, comme bondissant hors du paysage désolé.

C'est devant son visage que j'ai arrêté de respirer. Émile Bernard est le sosie d'Alfredo. Plutôt, Alfredo est le sosie d'Émile. A = E. On reconnaît l'ondulation parfaite du cheveu au niveau du front. Le regard pénétrant, les joues mal rasées, la moustache ourlée. Émile Bernard s'est peut-être réincarné en A. Ça me semble logique ; il aura tenté de poursuivre sa vie d'artiste un siècle plus tard. Sauf que, cette fois, ses garanties de postérité me semblent plus minces.

Mes parents ont dansé leur premier slow sur *Vincent* de Don McLean. Évidemment, je n'y étais pas, mais mon père me l'a raconté après le départ de ma mère pour Montréal. Ils n'avaient pas grand-chose en commun, mes parents. Sauf qu'ils partageaient l'amour pour le texte de cette chanson et pour la voix de McLean.

La chanson s'inspire du tableau *The Starry Night*, en hollandais *De sterrennacht*, de Van Gogh. Ça, mes parents ne le savaient pas. Ma mère croyait que les paroles de Don McLean évoquaient la souffrance d'un père à la suite de la mort de son fils. Sur la toile, des nuages tourbillonnent autour d'étoiles blanches et de champs sombres. Au centre de la vallée, un village s'endort. Le ciel remue furieusement sur les collines qui semblent aussi endormies.

Número dos : Joan Miró

Il dessinait des poèmes. Je connais peu la poésie et, pourtant, le fait de pouvoir transmuer un texte en images relève pour moi de l'extraordinaire. Il était pote avec Louis Aragon, Paul Éluard, André Breton. Miró, pour moi, c'est un point d'ancrage artistique, une sorte d'épicentre de l'art. Grâce à lui, à son influence, à ses collaborations, d'autres formes ont émergé. Pièces de théâtre, céramiques, manifestes, mouvements artistiques, name it. J'imagine bien que ce n'est pas le seul. Mais c'est celui que je connais le mieux. Et puis, de tous les peintres espagnols connus et reconnus (Dalí, Picasso, Velázquez ou Goya), c'est lui que je préfère.

À 18 ans, je rêvais de me faire tatouer une des constellations de Miró. J'avais imprimé ma préférée, intitulée *Codes et constellations dans l'amour d'une femme*. J'avais l'impression que Miró avait voulu y fusionner tous les éléments, y rassembler l'Univers entier : ses hommes, ses étoiles, ses visages, ses animaux, ses lunes et ses poissons.

Il faisait froid, c'était un mardi ou un mercredi de janvier et j'ai pris le métro jusqu'à la station Berri-UQAM (Berri-de-Montigny, insiste mon grand-père) sans jouer à mon jeu (il n'existait pas dans ce temps-là). J'ai longé Sainte-Catherine jusqu'au studio de tatouages. La boutique était déserte, excepté une fille qui se faisait percer le mamelon au deuxième étage. Je l'ai vue monter avec, à ses trousses, le troueur de corps. Le troueur de corps m'a demandé de patienter pour le tatoueur de corps. J'ai posé la photocopie couleur sur le comptoir et une grande blonde aux pointes de cheveux violettes est apparue. Des pin-up aux seins pointus se disputaient son cou et la corde d'une grosse ancre entourait son poignet. Elle m'a toisée d'un air hautain.

— Bonjour. Je sais pas si vous avez du temps aujourd'hui, mais j'aimerais me faire tatouer ça.

J'ai pointé la feuille de papier.

— Tu veux une constellation de Miró ?

Elle le connaissait et ça m'a profondément surprise. Comme si les tatoueuses punkettes étaient obligatoirement un peu ignorantes. C'était moi l'ignorante, finalement.

— Euh... oui.

— T'as d'autres tatouages ?

— Non.

— Tu veux le faire où ?

— Ben, je sais pas... Je pensais qu'on déciderait ça ensemble, justement.

— Quoi ?

— C'est que je suis pas encore tout à fait certaine de l'endroit.

Elle m'a fixée droit dans les yeux et un coin de sa bouche s'est retroussé. Genre mi-amusement, mi-mépris.

— Écoute, fille, je tatoue les gens qui sont certains de ce qu'ils veulent. J'ai une réputation à garder à Montréal et je m'investirai pas dans un gros projet comme ça avec n'importe qui. Ça implique beaucoup de temps, d'énergie et de sous. Pis tu peux pas changer d'idée en plein milieu. Est-ce que t'as une permission signée de tes parents ?

— Pas besoin, j'ai 18 ans. Et je changerai pas d'idée. Je sais ce que je veux, je sais juste pas où encore. Dans le dos peut-être. Ou sur la cuisse. Je peux revenir la semaine prochaine, sinon. Et j'ai de quoi payer.

J'ai déposé 300 dollars cash à côté de la photocopie du Miró. Je voulais l'impressionner et j'avais entendu dire qu'ils exigeraient sûrement un dépôt pour faire un premier croquis. Toutes mes économies de l'été précédent y passaient. Tant pis.

Mais elle n'a pas voulu me le faire. Ce n'était pas une question d'argent, selon elle, c'est juste que la job ne l'intéressait pas. Du moins pas *avec moi*.

Abasourdie, je suis sortie de la boutique sans tatouage. Même pas un début ou une promesse de. Sur le coup, je me suis sentie incroyablement flouée, mais, une semaine plus tard, je n'y pensais déjà presque plus. Je voulais oublier cet épisode un peu humiliant : on m'avait déclaré que je n'étais pas assez cool pour avoir un tatouage de Miró sur le corps.

Ou peut-être que le problème, ce n'était pas Miró, mais le tatouage tout court. Ou peut-être que si je lui avais réclamé une fée ou un papillon bleu, elle aurait volontiers accepté. J'espère vraiment que je n'ai pas une face à me faire tatouer un tribal sur la raie des fesses. N'empêche, j'avais eu envie de cette permanence physique. D'un signe du temps qui passe avant ceux de la vieillesse. J'avais envie de marquer mes 18 ans : la fin de mon adolescence, le début d'autre chose. De la vraie vie, peut-être.

Número tres : Kees Van Dongen

J'ai vu ses tableaux pour la première fois à une rétrospective du MBAM avec Marie-Caro. L'expo s'intitulait « Un fauve en ville ». Comme Van Gogh, Van Dongen était Hollandais. Il peignait des femmes, tout plein de femmes. Des putes, souvent. Des fouetteuses de sang. Des beautés dérangeantes à la peau laiteuse, aux yeux et aux chevelures sombres, aux lèvres de feu qui portent chapeaux, vestes et tuniques éclatantes, quand elles ne sont pas entièrement nues. Van Dongen fait jaillir les couleurs, vous agresse de contrastes.

Ses sujets sautent au visage, menaçants de beauté, prêts à vous balafrer l'imaginaire. Même le pâle est violent ; le blanc, le crème qui s'irise de vert menthe ou de bleu violacé, de jaune orangé. Avec Van Dongen, chaque beauté sous-entend une laideur particulière, une étrangeté singulière. En peignant, on dirait qu'il lance un avertissement : « Mesdames et Messieurs, aimez-les complètement ou ne les aimez pas du tout. » Et les femmes en rajoutent muettement : « Avec nous, c'est tout ou rien. »

Moi, je n'ai jamais dessiné personne. Sauf ce croquis d'oiseaux qui, par hasard, ressemble à mon père. Je sais ce qui manque à mes dessins : de la vie, des couleurs, un sujet rare, inusité. J'ai toujours eu une technique irréprochable, louangée par mes professeurs d'arts plastiques : des lignes précises, un trait fin, minutieux, habile. Mais il n'y a aucun risque dans ce que je dessine, il n'y a pas ce qui fait qu'un créateur devient artiste : l'expression d'une authenticité inimitable.

On examine mes dessins et on ressent quoi ? Pas grand-chose, j'imagine. On se dit peut-être : « Oh, c'est joli ! » C'est « bien fait ». Prout. D'la marde.

Le truc, c'est que lorsqu'on ne sait plus très bien qui on est, qu'on se sent depuis trop longtemps, depuis tout le temps perdu, comment on fait pour être authentique ? J'ai l'impression que pour être artiste, vraiment artiste, il faut avoir un « sense of self » puissant. Un « moi » gros comme le monde qu'on a envie de cracher, qu'on a besoin de cracher. Sans crainte. Bang ! Kin' toé, l'Univers.

Je suis à Pau pour me retrouver. Peut-être que, des fois, il vaut mieux arrêter et repartir à zéro. Recommencer. J'arrête et je recommence. Je pense que tout ira mieux là-bas.

À Pau.

Tout ira mieux.

Ariane,

Je ne te demande plus comment tu vas. J'imagine que tu m'écriras quand tu seras prête. Je crois que tu sais à quel point j'ai hâte de recevoir de tes nouvelles et je comprends bien qu'il ne sert à rien de te presser ou de te bousculer. En attendant, ton grand-père me rassure un peu en me racontant où tu es rendue.

Moi, je vais bien.

Ça n'a pas fonctionné avec Jean-Pierre, finalement. Je l'ai laissé il y a deux semaines. Il voulait qu'on emménage ensemble. C'était trop vite, bien trop vite. On n'était définitivement pas sur la même longueur d'onde.

La vérité, c'est qu'à mon âge, je n'ai plus tellement envie de faire des concessions. J'ai ma routine, mon chez-moi, mes habitudes. Tu vas voir, ma belle ; quand on vieillit, notre monde rétrécit. On n'a plus envie d'y faire entrer n'importe qui n'importe comment.

Des fois, je pense que je vais finir mes jours toute seule.

Enfin, pas complètement toute seule ! Je suis maman, quand même ! Et j'ai une belle grande fille aventureuse et débrouillarde qui se cache quelque part sur la planète.

Mon Ariane d'amour, voudras-tu t'occuper de ta mère durant ses vieux jours ?

Est-ce nécessaire de te répéter que je m'ennuie de ma fille ?

Je t'embrasse et je t'aime,

Maman

Elle se prépare à sortir. Mon père et ma mère s'en vont au restaurant. C'est la fête de quelque chose, mais je ne sais pas quoi. On habite une grande maison en banlieue de Montréal. Dans la cour, il y a une piscine creusée. Le matin, l'été, je me réveille avant tout le monde et je descends m'asseoir au bord. Mes pieds trempent dans l'eau que je fais remuer en pliant et en dépliant les orteils.

La chambre de mes parents est immense. Je m'y rends souvent en cachette pour jouer dans le garde-robe de ma mère, admirer ses robes et ses chaussures, fouiller dans ses accessoires, trier son maquillage, en comparer les teintes et les couleurs. La plus belle femme du monde, c'est ma mère. Je suis convaincue d'ailleurs que le monde entier corroborerait.

J'adore la regarder se préparer. Elle approche un tabouret de sa coiffeuse et j'y pose mes petites fesses, sage et silencieuse. Je sais qu'elle aime se faire épier. Ma mère a besoin de spectateurs. Les ampoules qui encadrent son miroir baignent son beau visage d'une lumière crue. Pas un défaut, pas une ride. Maman applique du fond de teint (je la préfère sans puisque ça masque ses taches de rousseur), puis du rose pâle sur ses pommettes. Elle trempe un pinceau dans une poudre marron. Le pinceau est fait de poils durs, coupés en biais. De sa main droite, elle étire sa paupière fermée et dessine un trait. Elle applique une couche plus mince sous son œil. Une fois le surlignage fini, elle ajoute du mascara, puis cligne des yeux. Ses yeux bleus m'hypnotisent. Ils sont encore plus bleus que ceux de notre chatte persane. Maman ébouriffe sa chevelure, la place, la déplace, la replace, l'attache en chignon avant de la laisser flotter sur ses épaules. Elle se contemple de profil, de face, de profil.

Et enfin, c'est la dernière étape, celle où j'interviens, où je deviens importante. Parce que c'est un peu moi qui décide. Il faut choisir une robe. On élimine les possibilités au fur et à mesure pour terminer avec trois options. Une courte tenue en velours noir, décolletée dans le dos, très jolie, mais qui, d'après moi, l'experte, fait un peu trop sexy. Une autre, jupe en mousseline verte attachée à un débardeur couleur peau ajusté, manque d'éclat. Je veux que ma mère soit parfaite pour mon père. « Mets la bleue, maman, celle-là. »

Ladite bleue est une longue tunique coupée dans un tissu à imprimé de ciel d'été qui descend sous ses genoux et découvre ses fines clavicules. De haut en bas du ciel de la robe, des petits diamants se déguisent en étoiles. Ma mère l'appelle sa robe « Peau d'âne ». Dans le film, une jeune Catherine Deneuve tente de dissuader son propre père de l'épouser. Sa fée marraine lui vient en aide. Pour décourager le père, elle propose à la princesse de formuler un souhait impossible, d'exiger un cadeau de mariage introuvable : une robe couleur du Temps, une robe couleur du Soleil et une dernière, couleur de Lune.

Ma mère à moi possède une robe couleur de Ciel qui lui va à merveille.

J'ai débarqué à Pau un dimanche. À Paris, le train était entré en gare avec cinq heures de retard. La SNCF avait averti ses passagers qu'un cadavre de cheval bloquait la voie. Je me demande comment débarrasser une dépouille de cheval des rails peut nécessiter cinq heures de dur labeur. Rassemblez quatre individus bien forts : un en avant, un en arrière, un de chaque côté. À go, on force. Go !

Vu le retard, j'ai manqué ma correspondance pour Pau. J'ai somnolé dans la gare de Toulouse à même le plancher, mon gros pack sac kaki me servant d'oreiller. Mon train partait le lendemain à 8 h 24 et j'ai dormi d'une traite les heures qui me séparaient du prochain départ. C'est un employé de la SNCF qui m'a réveillée en passant sa moppe pas très loin de ma joue. J'ai essuyé un filet de bave séchée sur le coin de mes lèvres avant de monter dans le train. Le wagon était presque vide et je me suis étalée de tout mon long sur une banquette pour poursuivre mon sommeil comateux. Ce qui m'a fait rater l'arrêt de Pau. Frustrée, j'ai ressuscité à Orthez où j'ai dû me racheter un billet pour faire les 20 minutes en sens inverse jusqu'à la capitale des Pyrénées-Atlantiques. Et, enfin, j'étais arrivée. À P2.

Il était presque midi et le soleil plombait rudement. J'ai hésité à faire le trajet à pied, mais comme je n'avais pas encore de carte de la ville, j'ai hélé un taxi qui m'a déposé au 8 bis, rue Carrère. L'appartement, trouvé sur leboncoin.fr (le Kijiji français), m'attendait, tout meublé. C'est la sœur et voisine du propriétaire, Maïté, qui m'a ouvert la porte de l'immeuble. Elle baragouinait un drôle de français et j'ai hoché la tête, même si je ne saisissais pas plus de la moitié de ce qu'elle racontait. Ayant déjà visité plusieurs fois le Québec, elle comprenait pour sa part parfaitement mon « dialecte ». Cet accent jusqu'alors inconnu m'a poussée à la questionner sur ses origines.

— Je suis Basque.

— Ah bon ! Donc vous n'êtes pas née ici ?

— Non, je suis née à Saint-Jean-Pied-de-Port, au fond du Pays basque.

À 70 ans et des poussières, sa ferveur politique ne s'est pas tarie d'un poil. Elle reste aussi séparatiste et militante que dans sa jeune vingtaine. Un sourire fier tamponné sur le visage, elle me raconte qu'à son âge, encore, elle participe, habillée de rouge et de blanc, aux fêtes de Bayonne. Cinq longs jours (et nuits) de festivités et de beuverie intenses.

J'habite l'appartement du frère de Maïté. Il est mort il y a trois mois et la famille ne sait pas trop quoi faire du logement : le vendre, le louer, le garder ? En attendant de prendre une décision définitive, Maïté me loue le six-pièces meublé pour la modique somme de 500 euros. Quite a bargain, my friend.

Parfois, je regrette de ne pas avoir cherché quelque chose de plus petit et de moins habité. Des photos de ses petits-enfants tapissent chaque recoin de l'appartement en plus des trophées de foot, des tableaux signés d'un certain P. Perpignan et des décorations récupérées en souvenir d'on ne sait plus quel pays. Les flocons de neige en plastique collés aux vitres de l'appartement n'ont toujours pas été décrochés depuis Noël passé. J'hésite à le faire : je ne suis pas chez moi.

Certains meubles doivent valoir une fortune, d'où la recommandation appuyée de Maïté « de faire très, très attention ». La vieillesse et la décrépitude de ce fouillis d'objets me font pourtant douter de leur valeur. L'horloge ne fait plus coucou depuis longtemps. Les barreaux des chaises sont rongés par les termites, les abat-jour sont avachis, les divans, défraîchis, les électroménagers, du siècle dernier. Même les tapis persans aux motifs élaborés semblent irrécupérables : le blanc est taché de plaques jaunâtres, le noir est devenu gris.

À Pau, les habitants tombent comme des mouches. Le frère de Maïté n'est que le premier d'une longue lignée. Les compagnies de pompes funèbres doivent rouler sur l'or. Évidemment, je suis (et de loin) la cadette des habitants de l'immeuble, la moyenne d'âge de ses résidents se situant quelque part entre 75 et 85. Avec son début de soixante-dizaine, même Maïté se fait traiter de petite jeunesse. On est à la fin du mois de juillet et Pau est à l'abandon. L'université s'est vidée, les vacanciers sont partis bronzer sur la côte. La haute saison se déroule durant l'hiver lorsque des touristes daignent se payer une visite du château d'Henri IV avant de skier sur les pentes des Pyrénées. Résultat: Pau est un peu mort, tout comme ses bientôt défunts habitants.

Le dimanche de mon arrivée, les rues étaient tellement vides que je n'aurais pas été surprise de voir rouler des carcasses de fennecs sur les trottoirs. Sur le coup, j'ai repensé à la scène du film *Bernard et Bianca au pays des kangourous*, quand les souris pénètrent dans le village désert. (Décidément, mes références cinématographiques sont sans pareil.) Il n'y avait pas une seule boutique ouverte sur le chemin, pas un resto, pas un supermarché, rien. J'ai vite déposé mon sac dans la chambre (Maïté avait changé les draps et décoré la table de la cuisine d'un bouquet de fleurs séchées pour célébrer ma venue. À ce moment-là, je n'ai pas pu faire autrement que de penser «Même les fleurs sont mortes!»), et je suis ressortie.

Sur le boulevard des Pyrénées, heureusement, quelques bars étaient ouverts. Je me suis installée au Café Russe pour admirer les montagnes et boire un mojito. Deux mojitos. Trois. J'aurais pu être triste, mais je me sentais étrangement calme, comme si je me trouvais au bon endroit au bon moment. La ville morte me plaisait.

J'ai quelque chose à faire ici, je le sens. Quand ton futur est aussi dépouillé de promesses que le mien, ne reste plus qu'à suivre ton instinct. Inexplicablement, le mien m'a amenée ici. Call me crazy. Call me Paloise.

À 18 heures, j'ai payé les mojitos, refermé mon livre (un best-seller acheté à la gare de Toulouse) et me suis redirigée au 8 bis, rue Carrère. En route, j'ai découvert une épicerie arabe (un magasin d'alimentation ouvert le dimanche en France, ô doux miracle !) rue Carnot. Maïté m'avait invitée à dîner et je ne voulais pas arriver les mains vides. J'ai tué l'heure et demie qui restait avant le repas à lire mon bouquin et à boire de grands verres d'eau pour dessaouler.

Ma voisine était ravie de me voir apporter une bouteille de rouge.

— Vous connaissez les vins du Sud-Ouest ?

— Non, pourquoi ?

— Vous avez choisi un Madiran, un des vignobles du coin.

Après avoir prié mes hôtes de transférer la conversation à la deuxième personne du singulier, je les ai écoutés. Ils ont voulu savoir si, moi aussi, j'étais séparatiste. J'ai dit oui. Ils comparaient la situation des Basques à celle des Québécois, revenant sur l'épisode Charles de Gaulle, sur le RIN, sur Pierre Bourgault et René Lévesque. La vérité, c'est qu'ils en savaient plus que moi et que ça m'ennuyait de parler du Québec, de ressasser les vieilles questions nationalistes. Alors, je leur ai posé des questions sur la culture basque, sur leur langue, sur leur famille. Longtemps, son mari m'a expliqué les rudiments de la pelote basque, sport qui le passionnait fiévreusement. Il s'est un peu renfrogné quand je lui ai avoué n'avoir encore jamais entendu parler de la pelote.

Aux fromages, j'avais épuisé mon interrogatoire. Mon tour était venu. J'ai vaguement parlé de mes projets : prendre des cours de dessins à l'ESAC, peut-être me trouver un travail, découvrir le sud de la France, bla-bla-bla… La bouteille de vin terminée, je les ai remerciés (ils me plaisaient bien tous les deux, Maïté surtout, et j'avais eu plus de plaisir que ce que j'avais anticipé), ai retraversé le couloir jusqu'à « chez moi » et me suis étendue sous les draps frais. Ils avaient la même odeur que l'appartement de Maïté. Pour la première fois depuis des mois, je me sentais sereine.

Au premier étage, les Loustau écoutent la télé à longueur de journée. Ils sortent une ou deux fois par jour pour acheter de quoi manger aux Halles. Des petits plats déjà prêts qu'ils n'ont plus qu'à fourrer au four. J'ai rencontré l'homme Loustau au kiosque de paella. Il portait un épais béret noir et une chemise délavée à manches longues, malgré la chaleur.

Au coin de la rue, Cloclo vend des demis de Amstel et diffuse les matchs de foot pour ses clients. (Le foot, en France, c'est l'équivalent du hockey au Québec. Comme chez nous, la saison sportive dure à peu près 11 mois et trois quarts sur 12.) C'est toujours plein, chez Cloclo, même si l'écran de télé est ridiculement petit. J'y suis entrée une fois pour commander un café à emporter. À Pau, impossible de trouver du café filtre. Je rêve de ceux que j'achetais au dépanneur du coin. T'sais, le genre qui macère dans son jus durant des heures. Ces cafés-là, c'est de la bombe, du speed légal.

Mon appétit est revenu. Tous les vendredis, je mange à L'Emporte Pièce, petit resto situé en plein cœur des Halles. On y sert les presque meilleures moules des Europes, importées de la baie du mont Saint-Michel et cuites dans un délicieux bouillon à la citronnelle. Tous les jeudis, je commande le gargantuesque bloc de foie gras maison du

Boulevard, et les mercredis, je m'attable à la terrasse de la plus vieille brasserie de Pau, Le Berry.

Le reste du temps, je cuisine. Je me suis acheté un livre de recettes pour l'inspiration. Je me la joue italienne avec des gnocchis maison, marocaine avec un tajine au citron confit ou indienne avec un poulet au lait de coco. C'est facile, au fond. Suffit de suivre les étapes.

Avoir une routine me rend heureuse. Avoir une routine me rend utile pour moi-même.

Comme j'habite au centre, je peux tout faire à pied. Je marche beaucoup et longtemps. C'est le seul exercice que j'aime. No sweat. Certains marchent pour réfléchir, moi, je marche pour arrêter de penser. Et ça marche.

Hier, j'ai pris le train pour Lourdes. C'est là-bas qu'au 19ᵉ siècle, Bernadette Soubirous a été témoin de plusieurs apparitions de la Vierge. Au cours de l'une d'elle, la jeune fille aurait creusé le sol afin d'y puiser de l'eau et, grâce à cette source, une foule d'infirmes auraient été guéris.

Le ciel s'était voilé et le temps, rafraîchi. Pour la première fois depuis que j'étais dans le Sud-Ouest, il m'avait fallu couvrir mes épaules. J'avais trouvé un poncho vert forêt dans un des placards de cèdre intouchés du 8 bis. Je ne sais pas pourquoi j'étais partie avec la lourde et laide étoffe du défunt frère de Maïté. Peut-être que, pour entrer en territoire saint, il faut une tunique sacrée. Derrière la cathédrale, une nuée de fidèles se prosternaient devant des cierges, les yeux fermés, le visage aussi, les lèvres remuantes de prières.

J'ai rempli ma bouteille en plastique d'eau bénite (l'eau de la source de sainte Bernadette coule encore et il paraît qu'elle est toujours sacrée) et je l'ai bue lentement en montant le sentier qui mène au Pic du Jer. J'avais découvert la petite randonnée dans un des dépliants fournis à l'entrée de la ville. À un tournant, les arbres se sont écartés pour faire apparaître Lourdes, minuscule en contrebas. Le soleil descendait derrière les montagnes, formant un étrange puits de lumière qui se réfléchissait sur les nuages. On aurait dit au loin un pays magique, peut-être celui de la Comté, la région de la Terre du Milieu décrite dans *Le Seigneur des anneaux*. Ou peut-être l'endroit derrière les arcs-en-ciel où se trouve la maison du lutin des boîtes de céréales Lucky Charms. Somewhere over the rainbow.

Depuis trois semaines que je suis à Pau, rien n'est réellement arrivé. Pas fait grand-chose, pas rencontré grand monde, à part ma voisine et son mari. Je me suis inscrite à l'ESAC, mais la session commence seulement mi-septembre. D'ici là, j'ai un peu l'impression de vivre en attendant. Mais en attendant quoi ?

En espagnol, *attendre* se traduit par *esperar*. Des fois, même si on n'espère rien de particulier, on a quand même le sentiment d'attendre quelqu'un ou quelque chose.

J'attends donc. J'espère.

Descends les quatre étages. Ouvre la porte, voilà ta rue, Carrère. Tourne à gauche. Au coin, tu rejoins Carnot. Prends à droite, dépasse l'épicerie arabe et le magasin de thé qui vend du Kusmi et des jolis filtres (comme en soie) jusqu'à Émile Guichenné.

Va vers les montagnes. Tu ne les vois pas encore, mais tu sais qu'elles sont là, derrière la ville, au-delà des immeubles. Sur la place Clemenceau, il y a des palmiers, des jets d'eau qui rafraîchissent les enfants l'été et un camion à crème glacée. L'hiver, la neige fond sur les palmiers et le glacier est parti vendre ses cornets dans le sud de l'Espagne. À l'un des coins de la place, un carrousel ne tourne plus. Ses chevaux sont ébréchés et leur crinière dorée a perdu de son éclat. Prends le long corridor dallé qui mène au boulevard des Pyrénées.

Tu passes devant la FNAC, le Bershka, le H&M et la boutique Orange. Au bout, les montagnes te regardent de haut. Suis le boulevard jusqu'au château d'Henri IV, mais ne t'y arrête pas (le billet d'entrée est trop cher). Continue sur le sentier qui longe le château, descends les escaliers en pierre et le chemin de terre qui donne sur le parc du château. Dans une trentaine de minutes, si tu marches à bon pas, tu auras fait le tour du sentier et tu seras de retour aux portes du château. Ensuite, pour revenir à la maison, emprunte un autre chemin. Essaie la rue de Liège. Dans quelques blocs, elle deviendra l'avenue de la Résistance.

Quand tu tournes à droite, dans la rue dont tu ne te rappelles jamais le nom, suis la pancarte qui indique le cinéma Le Méliès. On y projette des films de répertoire. Si un film t'intéresse, arrête-toi. Si aucun ne t'intéresse, arrête-toi quand même. Ton cerveau pourrait ramollir à force de ne rien faire. Il faut le raffermir, comme tes jambes avec la marche. Achète-toi du pop-corn (salé, pas sucré). Une fois la représentation terminée et les lumières rallumées, retourne à la maison. C'est tout près, il ne te reste plus qu'à descendre la rue Pasteur, jusqu'à la rue de Laussat. Ta rue à toi, c'est la prochaine. La rue Carrère. Au 8 bis.

On ne peut pas dire que je sois chez moi. Heureusement. Camille chante *Home is where it hurts*.

Dans ma maison
C'est là que j'ai peur
Home is not a harbour

Home home home
Is where it hurts

Ici, je suis bien. Je ne suis pas chez moi. Mais presque. Je suis entre chez moi et ailleurs. Perdue et retrouvée. Si je me sentais chez moi, vraiment chez moi, j'aurais mal. Quand on part, c'est parce que ça commence à peser, à peser tellement que c'est trop, trop lourd à porter pour notre dos pourtant large. So time to go. Il faut rester étranger. Et ça dure le temps que ça peut. Idéalement, ça dure toujours. Être voyageur à la maison, anonyme chez soi. Not really home. Where it doesn't hurt.

Maïté m'a expliqué que «les jeunes» reviendraient à la fin du mois d'août pour la reprise du trimestre à l'UPPA, l'Université de Pau et des pays de l'Adour. «Les jeunes», c'est moi, ça. Mon ethnie. Ma minorité visible.

Elle est venue frapper à ma porte à 9 heures ce matin.

— Je te réveille?

J'ai bâillé et essuyé une larme de sommeil.

— Juste un peu.

— Oh, désolée Ariane! Je venais t'apporter du raisin. On en a cueilli tout plein à Jurançon hier. Je t'ai appelée pour t'inviter, mais ça ne répondait pas. Tu aurais dû voir les couleurs dans les arbres!

Je n'ai pu retenir un second bâillement. Je m'étais couchée à l'aube, à peu près en même temps que ma voisine s'est réveillée. Elle était debout à 5 heures. À trier ses raisins. Elle m'a tendu un immense Tupperware rempli de petits fruits jaune-vert. Je déteste les trucs avec des pépins, mais je l'ai remerciée avec mon sourire d'endormie.

La semaine passée, c'est un chapelet qu'elle m'a apporté. Acheté à Tarbes, fait en bois d'olivier avec un petit Jésus qui pendouille au bout. Depuis, je le porte. Ça fait joli avec mes cheveux de la même couleur. Et puis, maintenant, quand on me demandera des précisions sur les nuances châtaines de ma chevelure, je pourrai déclarer poétiquement: bois d'olivier. Avec un peu de chance, ils l'écriront même sur mon permis de conduire. Taille: 1 mètre 64. Yeux: pers. Cheveux: bois d'olivier.

Je crois que Maïté a pitié de moi. Peut-être vu ma condition de minoritaire parmi les minorités. Et même si mes explications évasives sur les raisons ambiguës de ma présence à Pau ne la satisfont plus, elle a la décence de ne pas se transformer en détective pour percer le mystère de mon étrangeté.

Pour la remercier de tous ses cadeaux, de toutes ses jolies attentions, je l'ai invitée à manger au Berry. Elle était surprise de me voir plus habituée qu'elle à la vieille brasserie paloise. On a fait la queue une bonne demi-heure avant de dégoter une place en terrasse. C'est Kevin, mon serveur préféré, un gros bonhomme aux joues roses, qui s'est occupé de nous. Je lui ai présenté «mon amie» qu'il a accueillie avec humour et déférence. Notre tarte Tatin et nos cafés crème étaient offerts par la maison.

Maïté a refusé de me laisser payer l'addition. Même pas la bouteille de vin, dont elle n'a pourtant bu qu'un verre. Je ne me souviens plus très bien de quoi on a parlé. La vérité, c'est que je l'écoutais à moitié. L'avoir devant moi me rassure, me suffit. Je ne réclame pas grand-chose, au fond, et elle non plus. Je réponds à ses questions (toujours agréablement impersonnelles, du genre, «Tu as visité Saint-Jean-de-Luz?», «Tu aimes les rognons?», «Tu es catholique?») et, le reste du temps, Maïté monologue. Les débuts d'amitié requièrent habituellement plus de travail. Il y a des attentes de part et d'autre, une période d'essai durant laquelle on voit si ça peut durer, où on s'assure que les deux sont réellement compatibles. Mais pas avec Maïté. C'est peut-être l'avantage avec les vieux: ils prennent ce qui passe, sans trop se poser de questions.

Je me sens bien ici. Peut-être que la solitude tisse des liens invisibles entre nous tous. Une toile d'araignée très fine et discrètement rassembleuse. C'est vrai qu'ici, les gens se sourient quand ils se croisent, ils se saluent en entrant et ne manquent jamais de se dire au revoir avant de ressortir. Je prends conscience que le bien-être se constitue de menus détails. Menus et signifiants. Le secret, c'est peut-être juste de les remarquer.

Je crois m'être à peu près sortie de ma déprime amoureuse post-Alfredo. Je ne pense plus trop à lui. Sauf quand j'entends *Entre l'ombre et la lumière* de Marie Carmen. La chanson jouait l'autre jour à la radio française et, depuis, je m'autoflagelle en regardant le clip sur YouTube. La Carmen est à quatre pattes sur la plage, le visage intense et les mains qui flattent le sable comme si c'était la toison de son amant. Quatre minutes vingt-deux secondes du même outfit bleu jeansé. Me semble qu'elle aurait pu se changer une ou deux fois pour le plaisir des yeux de l'audimat. La chanson parle de rupture, de manque. «J'ai le cœur qui meurt de faim/Je tremble/J'compte les heures, mais j'me retiens/De t'attendre.»

Longing. Il ne semble pas exister d'équivalent français satisfaisant pour ce mot. *Longing*: terme d'une exactitude douloureuse qui mélange la nostalgie au désir ardent.

Je me rends compte qu'il y a quelque chose d'exaltant dans la mélancolie, quelque chose d'enivrant dans le fait de revivre un instant l'intensité d'un passé échu. Mais si la profondeur de mes sentiments se résume finalement à une toune des années 90, alors on peut supposer que c'est pour le mieux que la relation a pris fin.

Un ami m'a un jour dit que l'amour, c'est une belle histoire que deux personnes se racontent en même temps. Si les paramètres du récit diffèrent (personnages, narration, trame narrative), l'amour est éventuellement voué à l'échec. Au fond, s'acharner à faire fonctionner une relation dysfonctionnelle, c'est aussi utile que d'écrire un livre qu'on est le seul à lire. Ou que de peindre une toile qu'on sera le seul à admirer. Et puis, même si on arrive à partager son histoire, on ne peut pas forcer l'autre à l'aimer. Pas plus qu'on ne peut le forcer à y croire.

La douleur d'une rupture amoureuse atteint le cœur avec fulgurance, instantanément. Le supplice de la rupture progresse comme une fonction linéaire inversée. Sur un diagramme cartésien, si «y» représente la variable tristesse et «x», la variable temps, le graphique part très haut sur l'axe des ordonnées. Graduellement, «y» diminue et «x» augmente. C'est-à-dire que, juste après la rupture, la douleur est insoutenable, mais plus le temps passe et plus la souffrance diminue, allant presque jusqu'à s'effacer complètement. Presque. Le hic, c'est qu'après ta première vraie rupture amoureuse, tu ne retourneras plus jamais à ton «y» de départ. Ton prochain graphique de peine d'amour en sera affecté: une douleur de base demeure. Ton «y» se déplacera toujours un peu plus haut sur l'axe des ordonnées. Impossible de tout effacer et de repartir à zéro. Les maux s'accumulent et s'empilent malgré le temps qui s'écoule.

Les deuils, eux, fonctionnent comme une intégrale de Gauss, cette courbe qui ressemble à une cloche. La courbe du deuil se répète à l'infini. Elle ne commence pas trop fort (le sujet ne s'aperçoit pas immédiatement de l'ampleur du manque causé par l'absence de l'être aimé), mais plus le temps passe et plus la douleur augmente. Jusqu'à l'atteinte de sommets vertigineux. Durant cet apogée suffocant, une crise survient (convulsions larmoyantes, sursauts de rage violente, paranoïa, coupe de cheveux radicale, chirurgie plastique, tentative de suicide, whatèveu), puis la courbe redescend avant de recommencer son cycle interminable. Ascension jusqu'à la prochaine crise, crise, redescente. Et cetera. Les cloches rapetissent ou s'amplifient au fil du temps, en fonction de la position de l'endeuillé dans sa phase de peine et de sa capacité de résilience. Ma position à moi sur l'intégrale ? Aucune idée. Montante ? Possible. Peut-être qu'en fait j'en suis déjà rendue à ma deuxième ou troisième cloche. Peut-être que mes crises précédentes n'ont été que des crisettes et que la plus grande, la plus dévastatrice, est encore à venir…

Je préfère ne pas y penser.

Ici, il n'y a personne pour me regarder exister. Personne pour me conseiller d'attendre 17 heures pour décapsuler ma première bière. Personne pour m'avertir qu'à 22 ans, on ne devrait pas se saouler quotidiennement en attendant que sa vie recommence.

Chut. J'hiberne. Les jeunes arriveront bientôt et je devrai faire comme eux. Me rendre à mes cours, me chercher un travail, interagir, étudier, faire mes devoirs, me coucher tôt, me lever tôt. Entre-temps, je ne vois pas quel mal il y a à exister à moitié.

Le monde entier recommande de bien profiter de l'instant présent. Le problème, c'est que cette sommation sous-entend le fait que ton présent vaut nécessairement la peine d'être vécu. Personne n'encourage un dépressif : vis ça à fond, mon homme. Ou un suicidaire : give it your all, darling. Finalement, le résultat, c'est qu'on escamote les douleurs. On les descend en rapides les yeux fermés, en ne tenant compte ni des remous ni des rochers effilés. On vit en faisant semblant que tout devrait toujours être heureux. On ignore les tempêtes pour « profiter du présent ». On se comporte comme un enfant qui se croit brillamment dissimulé derrière ses poings fermés : « Tu me vois pas, je suis caché ! »

Je ne bois pas parce que je suis déprimée. Je bois parce qu'il m'est absolument, inconcevablement impossible de seulement fixer le mur, de détailler les craques du plafond ou de scruter les patterns de saleté sur le tapis. Je bois pour que le rien s'enrobe d'une enveloppe doucereuse. Saoul, on se sent meilleur. Besoin de rien ni de personne. Toi pis ta meilleure amie, Leffe blonde, vous vous comprenez en silence. You and her, gladly contemplating the outside world. J'ai décidé que les bières sont des femmes (blanches, blondes, rousses, ambrées, noires, brunes). Le whisky, le rhum et le scotch sont mâles. Le porto est androgyne, le Baileys homo et le vin, hermaphrodite.

À Paris, je m'étais juré que j'arrêterais de gaspiller mes journées à ne rien faire. Que je serais désormais productive, active, sujette idéale de l'ordre capitaliste. Mais je n'ai rien à produire, rien de particulier à réaliser, alors à quoi bon ? Je suis en vacances. Je suis en vacances de devoirs. Je prends un break de la vie.

Deux 750 ml m'obscurcissent le cerveau. Il fait gros soleil dehors et je ne suis pas encore sortie de la journée. J'ai mangé des nouilles rámen au déjeuner et du pop-corn devant *Lola Versus*, un bon film de break-up pour ma dose quotidienne de spleen. J'allume mon portable et MSN s'ouvre automatiquement. Ma belle-mère est connectée. Elle est déguisée en icône de marguerite. Diane croit encore que MSN est un réseau de communication hype. Personnellement, la seule raison pour laquelle je l'utilise encore, c'est qu'il m'avertit d'un «cling» quand je reçois un nouveau courriel. Là, je reçois un autre genre de «cling»: c'est ma belle-mère-icône marguerite qui désire communiquer. Allô Ariane? Allô. Parle parle, jase jase. Me raconte qu'il pleut. Je réplique qu'il fait soleil. Des nouvelles d'elle, de ses deux morons d'ados de flancs mous et de son nouveau copain remplaçant déjà mon père, le supposé amour de sa vie.

Diane L. écrit: Et toi, tu vas bien?
AriA écrit: Oui. Je vais bien.
Diane L. écrit: Ça avance, tes affaires?
AriA écrit: ?? Quelles affaires? Avancer quoi?
Diane L. écrit: Ben... Je sais pas moi. Tout. La vie.

Petit blanc où aucun des correspondants n'est en train de composer de message.

J'ai envie d'écrire: Oui, j'avance Diane. J'avance comme je peux. Un pas à la fois. Je commence des cours de dessin en septembre. Puis, ben, en attendant, je respire. T'sais... Breathe in, breathe out. Mon père était bon là-dedans: «Respire», qu'il disait quand on capotait. Tu devrais peut-être essayer, toi aussi.

Au lieu, je me déconnecte.

Mon petit bonhomme MSN est devenu rouge pour indiquer que j'apparais dorénavant hors ligne. Puis, je fais un clic droit sur la marguerite de Diane et je choisis *Supprimer de mes contacts*. Babye Diane.

QUATRIÈME PARTIE

Harvest Moon

Ariane-adolescente regarde ses parents qui la regardent, sans se regarder. Chacun occupe une causeuse qui fait face au fauteuil sur lequel elle est assise. Ils forment un triangle équilatéral. Ariane aime bien les mathématiques, la géométrie surtout. Elle sait ce que ses parents s'apprêtent à lui annoncer. Il est temps de hisser le drapeau blanc, la guerre froide a assez duré. Tout le monde est exténué. Et Ariane n'aime pas la politique.

— On t'apprend rien de neuf, hein, cocotte?

— Non.

— Et t'en penses quoi?

— Je pense que vous avez pas le choix.

— On pense ça aussi…

C'est sa mère qui parle. Son père demeure silencieux. Lui, quand il s'est marié, il a juré que c'était pour le meilleur et pour le pire, et jusqu'à ce que la mort les sépare. Il a fait un pacte avec Dieu, avec Denise et avec lui-même. Et puis, il l'aime, sa femme. Ariane se doute qu'il pleure de l'intérieur. Elle sait même (parce qu'elle est comme ça aussi) que parfois, c'est bien pire de pleurer de l'intérieur que de l'extérieur.

De grosses larmes de crocodile barbouillent le visage de sa mère. Elle hoquette deux ou trois fois. Son père se lève et lui passe une main dans le dos pour la calmer.

Depuis deux ou trois ans, Ariane et sa mère s'entendent moins bien. «Je te comprends plus, cocotte. T'as changé, Ari.»

C'est qu'Ari n'est plus uniquement la fille de sa mère. En additionnant toutes les particularités qui la définissent, on en arrive à un nouveau tout, bien distinct de celui de

Denise. À 15 ans, la personne d'Ariane est fragmentée, hétérogène et changeante. *On n'a pas fait le quart de notre vie qu'on nous demande déjà qui on est, ce qu'on projette de devenir. Je. Ne. Sais. Pas. Pourquoi est-ce qu'on répond jamais ça ? Pourquoi est-ce qu'on nous oblige toujours à savoir ? À répondre n'importe quoi plutôt que rien du tout ?* C'est à cela que songe Ariane tandis que sa mère lui apprend qu'elle va quitter son père.

Un an plus tard, le divorce est finalisé. Ça ne prend que quelques mois à son père pour se trouver une nouvelle amoureuse. Diane. Sa mère, elle, restera célibataire. Le défunt couple réussit à tout régler en médiation, hors cour. Chaque partie se sent flouée, chacun garde un goût amer au fond de la gorge, une impression d'injustice dans le partage des biens, dans le partage des torts.

Ariane voudrait savoir pourquoi la personne qui rompt a toujours le dernier mot. Pourquoi celui qui veut sauver son couple ne pourrait pas trancher et obliger l'autre à rester ?

Ce n'est pas qu'elle pensait que ses parents allaient si bien ensemble. Pas non plus que leur vie familiale comblait toutes ses attentes. Ce qui la désole, surtout, c'est la défaite de son père. Il a beau s'être trouvé une nouvelle conjointe, elle n'est pas Denise, la première femme de sa vie. Ou la femme de sa première vie. L'idéal paternel « *until death do us part* » ne se réalisera pas. Du moins, pas avec celle qui devait être la seule, la vraie. Son conte de fées est brisé.

Tandis que son père recommence sa vie avec Diane, sa mère saute d'une fréquentation à l'autre. Sa *midlife crisis* ressemble à une crise d'adolescence. Elle s'est fait des amies un peu délurées, de celles qui roulent des pétards, boivent trop de vin et se couchent tard (même les soirs de semaine).

Denise aime particulièrement Louise, une femme pas très jolie aux grosses boules qui attire bien des hommes dans son lit (l'effet grosses boules). Elles fréquentent ensemble les clubs pour 25 ans et plus et se ramènent parfois des soupirants en fin de soirée. Sa mère préfère les vieux alors que Louise lorgne les jeunes ; elles ne se disputent pas.

Ariane se sent responsable d'une mère qui vit sa jeunesse à retardement. Elle a honte de cette pseudo-grande sœur qui a oublié son rôle de femme responsable en chemin vers le divorce.

Petit à petit, la fille se détache de sa mère. C'est un autre divorce. Pour Denise, cette seconde séparation est bien plus dévastatrice que la première. Pour Ariane, cette seconde séparation advient naturellement. Elle apprend que cette distanciation doit se doubler d'un certain hermétisme face à sa mère. C'est sa protection à elle. Mais elle n'y parvient pas toujours.

Il lui arrive de croiser les amants de Denise dans le corridor, durant ses expéditions nocturnes aux toilettes. La plupart du temps, les hommes l'ignorent, feignant de ne pas la voir. D'autres fois, ils s'excusent, l'air gênés, une serviette en ratine nouée autour des hanches.

Un après-midi d'hiver neigeux, au lieu de se rendre sagement à son cours d'histoire, Ariane décide de rentrer. Sa mère devrait encore être au bureau et elle veut l'appartement à elle seule pour s'étendre sur le divan du salon avec, dans les oreilles, un vieil album d'Aerosmith et, entre les mains, une pile de biscuits Oreo.

Il fait chaud dans l'appartement : sa mère a encore oublié de baisser le thermostat avant de partir. Les lumières de la cuisine et de la salle de bains sont allumées. Ariane soupire

(*Ma mère, cette ado!*), puis ouvre la porte du réfrigérateur. Elle se verse un grand verre de lait et attrape une rangée de biscuits. Avant de s'installer dans le salon, elle ouvre la porte de la salle de bains pour en éteindre la lumière. Un homme sursaute, les cheveux dégoulinants, la bouche pleine de dentifrice et les mains placées en coquille autour de son sexe. Ariane bredouille un «pardon» et se vautre sur le divan du salon avec ses écouteurs sur les oreilles.

L'inconnu sort de la salle de bains, habillé et embarrassé. Un pan de sa chemise s'échappe de la fermeture éclair de son pantalon.

— Ariane, c'est bien ça?

Il doit avoir la cinquantaine. Il fait père de famille sérieux. Peut-être un dentiste. Ou un avocat. Elle hoche la tête en pointant ses écouteurs pour signifier qu'elle est occupée.

— Vraiment, je suis désolé. Ta mère avait dit...

Ariane a bien compris, mais enlève l'écouteur de son oreille droite et lance un «Je peux vous aider?» sarcastique.

L'homme s'en va, gêné.

Une fois qu'il a disparu, Ariane sent des larmes monter. Elle les ravale et appuie sur *play*. *Nine Lives* sur *repeat*.

La mère de mon père a eu un accident vasculaire cérébral avant ma naissance. Mon autre grand-mère est morte du cancer du sein alors que sa fille venait tout juste de fêter ses 16 ans. En termes d'ascendance féminine vivante et positive, je ne me considère pas comme hyper choyée.

Une fois, au cours d'une dispute avec Denise, j'ai gueulé que ma mère à moi aussi était morte quand j'ai eu 16 ans. À ce moment-là, je le pensais. Denise était toujours vivante, soit. Mais ma mère n'était plus ma mère. Elle n'était même plus *une* mère. Au mieux, elle était devenue pour moi une fréquentation, obligatoire et déplaisante. Le genre d'amie dont tu te sépares naturellement en te rapprochant de l'âge adulte. Les appels s'espacent, les sorties communes se raréfient et, un jour, tu changes de cellulaire et tu oublies de lui transmettre ton nouveau numéro.

J'imagine que Denise se voyait comme la maman moderne par excellence : cool, ouverte et branchée. Mais j'avais dépassé l'âge où tes amies te trouvent chanceuse d'avoir une mère aussi... libérée. Pour être franche, elle me faisait pitié. Je la trouvais pathétique, même vulgaire. Grow up, Denise, ostie.

Jeune, ça me plaisait d'être si complice, si proche de ma mère. Je me souviens de nos sorties au restaurant, au cinéma, de nos interminables séances de magasinage. Ma mère retenait son souffle et rentrait le ventre en me questionnant : « Tu me trouves grosse, Ari ? » Je crois que j'étais encore en poussette quand elle m'a demandé pour la première fois de commenter son poids. Évidemment qu'elle n'était pas trop grosse : ma mère, c'était la plus belle.

En grandissant, je me suis aperçue que je ne voulais pas devenir comme elle. Que j'avais peur d'être comme elle. J'aspirais dorénavant au sens des responsabilités de mon père, à son calme serein et à sa générosité. Si autrefois j'avais éprouvé pour la fantaisie et l'excentricité de ma mère une profonde admiration, à l'adolescence, ces soi-disant qualités s'étaient transformées en facteurs irritants. Je voyais plus clair : sa jeunesse de cœur n'était au fond qu'une manière de dissimuler sa lutte effrénée pour arrêter le temps. Sa bonhomie enfantine était forcée et elle ne s'en servait que pour faire oublier les années accumulées.

Denise m'étouffait. Notre relation fusionnelle était devenue insupportable. Les griffes de ma mère devaient se desserrer. Mais ça ne risquait pas d'arriver puisque ma mère avait besoin de moi. Si tout s'écroulait autour d'elle, moi, je serais encore là.

Ce n'est pas que je n'avais pas besoin d'elle. C'est que je ne voulais pas (ne voulais plus) d'une mère comme ça. Pourquoi est-ce que je ne pouvais pas tout simplement être la fille et elle, la mère ? Pourquoi n'existait-il pas entre nous cette frontière essentielle qui sépare l'enfant de l'adulte ? Celle qui assure à l'aîné crédibilité et autorité ? L'enfant demande conseil à l'adulte. L'enfant bénéficie de sa sagesse et de son expérience pour réduire ou prévenir ses propres erreurs.

Adolescente, je me répétais que je pourrais bien me shooter au crack, faire fondre de l'acide sous ma langue ou sniffer du crystal meth qu'elle ne s'en rendrait même pas compte. C'était elle qui rentrait tard, elle qui sortait, qui buvait, qui baisait, qui oubliait les conséquences de la veille sur le lendemain.

J'aurais pu aller habiter avec mon père, mais, six mois après le divorce, il déménageait chez Diane et sa progéniture morone. Plutôt mourir que de vivre sous le même toit qu'eux.

Tous les dimanches, au cours du souper hebdomadaire « familial » (constitué de trois imposteurs et de deux membres originels), je parlais des dernières excentricités de ma mère. Mon père ne prononçait pas un mot. Je le soupçonnais même parfois de trouver encore ses folies attachantes. L'œil attendri, il miaulait que « je ressemblais donc à [ma] mère ». Ça me mettait hors de moi. En quoi je pouvais lui ressembler ? C'était moi la fille responsable. C'était moi qui faisais l'épicerie (avec ses sous à elle, mais bon). J'avais de bons résultats à l'école. J'étais vierge. Je ne buvais pas. Je fumais du pot, mais vraiment pas souvent.

Je ne me rappelle plus exactement comment a commencé la dispute. La grosse, celle où je lui ai annoncé sa mort. Sûrement par une remarque acerbe de ma part. J'avais tendance à pousser des piques sarcastiques et mesquines que je déguisais en commentaires innocents (« Tu vas être là ce soir, Ari ? » « Oui, pourquoi ? » « On mange ensemble ? » « Ah bon… tu sais encore cuisiner ? »). Rien de bien grave, mais le genre de répliques qui la rendaient folle, qui faisaient voler en éclats sa maîtrise d'elle-même (déjà assez limitée). Ce qui enrage le plus Denise, c'est la passive-agressivité. Elle, elle excelle plutôt dans les combats criards. Full frontal, ma mère. De mon père, j'ai hérité cette capacité malsaine à emmagasiner le ressentiment. Après un certain temps, la rancœur forme une boule laide et compacte, pourrissante et puante, que je dois éjecter au plus sacrant. J'avais donc fini par l'éjecter.

— Qu'est-ce que t'essaies de me faire comprendre, là, Ari ?

— Rien.

— Exprime-toi donc, pour une fois !

— Je préfère pas.

— J'suis capable d'en prendre, ma belle.

Sa dernière réplique avait été lancée sur un air de défi, les sourcils froncés en accents aigus. Au fond, elle savait ce que je pensais d'elle. Ma mère n'est pas stupide. Juste un peu folle.

À rebours, j'aurais préféré qu'elle se bouche les oreilles. Pour pas que petit bébé-maman s'en trouve irrémédiablement égratigné.

J'ai tout déballé. Un gros régurgit laid.

Elle est irresponsable et égoïste. Je vis comme en appart, mais sans les avantages d'être réellement chez moi. Les rares moments où elle est présente, je dois lui dédier mon entière attention. L'écouter parler de trucs qui ne m'intéressent pas, que je ne veux pas entendre. Des trucs trop personnels que les mères ne devraient même pas partager avec leurs filles. Elle ne se demande jamais si ça ne me fait pas chier de croiser des tout-nus dans le corridor ? Si je ne me sens pas nostalgique et triste par rapport à notre ancienne vie de famille ? Ce n'est pas parce que je pensais que mes parents formaient un couple dysfonctionnel que je suis d'accord avec le fait qu'elle se comporte maintenant comme une adolescente.

Elle me tient pour acquise. Je ne suis pas sa sœur, ni son amie, ni sa psy ; je suis sa fille. Les mères de mes amies font le ménage et l'épicerie. Les mères de mes amies donnent l'exemple et chicanent leurs filles quand elles font des conneries. Mes amies sortent, et moi, on dirait que ça ne me tente pas : ma mère le fait déjà assez pour nous deux. Et ça me dégoûte. Ça me dégueule. Elle chiale que je ne m'exprime pas, mais ne me demande jamais comment je vais, ce que je fais, ce que j'aime, ce que je veux. Quand elle me pose des questions, c'est juste pour qu'après je lui réponde : « Pis toi ? »

Elle ne le sait peut-être pas, ne le sent peut-être pas, mais elle vieillit. Un jour, elle n'aura plus l'air de faire 35 ans. Avec l'âge, la peau s'étire, se ride, devient flasque, les gens engraissent, enlaidissent, tombent malades. Qu'est-ce qu'elle compte faire dans 15 ans ? Fumer des pétards et sortir dans les bars avec Louise-les-grosses-boules ? Si elle continue comme ça, elle finira ses jours toute seule. Vieille et seule parce que, les moments qu'elle aurait dû prendre pour améliorer les relations avec ses proches, ceux où elle aurait dû dépenser son énergie pour d'autres personnes qu'elle-même, elle les a gaspillés dans ses propres niaiseries.

Après, moi, on s'attend à ce que je grandisse en beauté, à ce que j'aie toujours des bonnes notes, à ce que je sois fine et heureuse. Je dois me projeter dans l'avenir, rêver à une carrière, à un mari, à des enfants? Mais comment je suis supposée avancer quand ma propre mère recule? Grow up, tabarnak! Si elle prend un peu de distance face à elle-même, si elle s'autoexamine un minimum, est-ce qu'elle ne se trouve pas un peu pathétique? Parce que moi, je la trouve crissement pathétique. La dernière chose que je veux, c'est virer comme elle. Pis, je m'en fous de ses justifications: elle s'est mariée trop tôt, elle s'est vite sentie emprisonnée dans un rôle qui ne lui convenait pas, mon père et elle étaient incompatibles, elle sent qu'il lui faut aujourd'hui vivre toutes ces expériences avant qu'il ne soit trop tard…

— Tu vois pas que même ta propre fille te supporte plus? Que je suis juste là parce que je me fais du souci pour toi? Que j'ai tellement hâte de partir en appartement? Que ça doit bien faire un an que je me retiens pour pas me sauver en courant?

Je pleurais. Étrangement, elle, non. Je me retenais de parler de plein d'autres choses. Des choses que je ressentais, mais que j'avais trop de fierté pour cracher. J'aurais pu lui dire, par exemple, que je m'ennuyais de ma mère. Celle qui, quand j'étais petite, s'occupait de moi. J'aurais pu lui dire que j'avais peur de ne jamais rien faire d'important ou de bien ou d'utile. De ne pas avoir de place signifiante sur la planète. Que j'avais peur, moi aussi, de finir mes jours seule, même si j'avais encore tout juste 17 ans. Il y avait tellement de sujets que j'avais envie d'aborder avec elle, des trucs de fille dont je ne pouvais pas discuter avec mon père, parce qu'il ne comprendrait pas. Ou qu'il comprendrait comme un père. Le problème, c'est que je ne me sentais plus assez proche d'elle pour me confier. Que, même si elle me répétait sans arrêt qu'elle m'aimait, qu'elle me trouvait belle et qu'elle était fière de moi, je ne la croyais pas. Je ne le sentais plus.

J'aurais aussi voulu lui dire que je n'avais plus envie de m'inquiéter pour elle et que je voulais qu'elle commence à s'inquiéter pour moi. Que je m'ennuyais, des fois, souvent, d'être une enfant. D'être *son* enfant.

Mais, finalement, ce que je voulais lui faire comprendre plus que n'importe quoi, c'est que malgré tout, malgré tout, tout, tout, je l'aimais.

Deux semaines plus tard, je déménageais dans Hochelaga avec une fille que je connaissais à peine. Ma mère allait m'aider financièrement, mon père aussi. L'argent n'avait jamais été un problème pour eux.

Au métro Frontenac, des putes étaient toujours postées au coin d'Ontario et de Bercy. Des quêteux quêtaient à des BS qui n'avaient pas nécessairement plus de sous qu'eux. Les habitants de mon nouveau quartier emplissaient leurs chariots du IGA de caisses de Pepsi, de poisson pané et de frites McCain congelées. Ils déposaient leurs coupons-rabais à la caisse et j'attendais longtemps avec ma poitrine de poulet Maple Leaf et mon bouquet de brocoli. Ça faisait changement du PA sur Parc ou 5 Saisons sur Bernard.

J'avais trouvé ma colocataire sur Craigslist. Elle s'appelait Chanel et, tous les soirs, son chum venait dormir à l'appart. Je les entendais fourrer bruyamment dans la chambre à côté. Ça, par contre, ça ne faisait pas trop changement.

Je n'étais pas vraiment chez moi. J'avais emménagé chez Chanel, j'utilisais ses casseroles, ses ustensiles, sa bouilloire, je m'étendais sur son divan, j'utilisais sa moppe et je flattais son chat. Mais, au moins, je n'habitais plus chez ma mère. À 17 ans, je redevenais l'adolescente que j'étais censée être et je prenais les responsabilités que je voulais en abandonnant celle qui me pesait : ma mère.

À 11 ans, enfermée dans ma chambre, le nez dans un livre, j'ignorais les voix mélangées de mes parents qui montaient en crescendo de la cuisine. Un grand bruit a fait résonner le plancher sous mes pieds et j'ai dévalé les marches quatre à quatre. Mon père, haletant, le poing ensanglanté, contemplait le trou béant qui perçait le mur mitoyen entre la cuisine et le salon. Tandis que du sang perlait de ses jointures, ma mère, immobile, gardait une main plaquée contre sa bouche. Nous étions là tous les trois, en formation, un triangle isocèle de gens muets. Puis, ma mère s'était mise à gueuler, à le traiter de fou, de malade mental, à brailler qu'il devait se trouver un psy au plus sacrant.

Après, souvent, pour justifier ses propres crises de colère, ma mère se plaignait de la nature violente de mon père. Au fond, je crois qu'elle était heureuse de l'avoir poussé tellement à bout qu'il avait un jour fini par défoncer le mur de la cuisine. Dorénavant, ma mère avait carte blanche. C'était devenu clair, Good vs. Evil : mon père avait tort et elle avait raison.

On peut penser qu'à ce moment-là, mon père et ma mère ne se racontaient plus la même histoire en même temps. Mais l'histoire avait-elle déjà concordé ?

J'ai convaincu Maïté d'installer Internet chez elle. Je lui ai expliqué qu'avec ça, elle pourrait communiquer plus facilement avec ses petits-enfants.

— Bang, tu envoies ; paf, ils reçoivent. Direct. Pas de délai. Et ils répondent aussi vite. Pas besoin d'aller à la Poste, même pas besoin d'acheter de timbre.

— Oh, mais Ariane, ça doit coûter une fortune !

— Une vingtaine d'euros par mois. Et tu peux aussi regarder des films, écouter de la musique, des émissions de radio, lire des journaux en ligne…

Ses yeux se sont écarquillés. En fait, je lui promettais l'impossible. Si on m'avait annoncé que le téléporteur venait d'être inventé, que je pourrais m'en procurer un à 19,99, taxes incluses, et qu'il serait livré chez moi dans les 24 heures, j'aurais certainement fait la même face.

— Écoute, Maïté, tu peux même faire ton épicerie sur Internet !

— Mon quoi ?

— Tes courses.

Elle a fait une moue dégoûtée. Aller au supermarché, c'est sa gymnastique, son sport, son cardio, quoi. Pas question. Elle adore parcourir les grandes surfaces et réaliser des calculs compliqués afin d'économiser des poussières de centimes sur le papier cul ou le Boursin. Maïté choisit savamment chaque élément de son panier d'épicerie : les pommes sont toujours croquantes, les tomates brillent et le jambon vient d'Espagne. C'est un art.

Depuis mes allusions à la révolution cybernétique, deux fois par jour, ma douce voisine vient toquer à ma porte avec de nouvelles questions. Et c'est sans compter ses trois leçons hebdomadaires d'informatique. J'ai compris que ma mission serait compliquée quand j'ai dû lui expliquer le fonctionnement de la souris : le curseur, la différence entre le clic gauche et le clic droit, le double clic, etc. Au début, Maïté oubliait carrément que c'est le mouvement de la souris qui permet d'ouvrir les icônes de son bureau : elle avançait un doigt tremblotant vers l'écran, concentrée, puis tapotait deux-trois fois dessus avant d'exploser de rire. « Mais que je suis bête ! » Au fond, les vieux sont en avance sur nous : ils avaient pensé à l'écran tactile bien avant.

Maïté redevient enfant et moi, je me transforme en prof. Elle a beau apprendre désespérément lentement, il y a quelque chose de touchant à la voir applaudir parce qu'elle a enfin réussi à mettre une photo de ses petits-enfants en fond d'écran. Chaque exercice la transporte de joie. Hier, elle est parvenue à joindre une photo à un courriel. Elle était tout émue quand sa petite-fille lui a répondu : « Génial, mamie ! » Moi aussi, j'étais émue. Je ne sers pas à grand-chose dans la vie, mais je sers à ça. Grâce à moi, une douce mamie sourit plus souvent.

Chère maman,

J'espère que tu vas bien.

Moi, ça va, alors ne t'inquiète plus STP.

J'habite à Pau depuis cinq semaines. Pau, c'est en Aquitaine, à six heures de train au sud de Paris. Ici, c'est petit et paisible. La mer est pas loin et les montagnes non plus. Je suis encore allée voir ni l'une ni les autres, mais j'aime bien les savoir proches.

Je t'écris d'une petite brasserie qui s'appelle Chez Laurette. Tous les jours, à midi, le restaurant se remplit d'un coup. Ça rentre, ça sort, et en l'espace d'une demi-heure, les clients ont vidé leur assiette et réglé leur addition. Dès qu'une chaise se libère, une nouvelle paire de fesses se pose dessus. Pendant une heure et demie, c'est la folie. Ça parle fort, ça rit fort, ça boit du vin en masse. Je sais pas comment ils font pour retourner travailler avec un pichet de rouge dans le pif. À 13 h 30 tapantes, les derniers fidèles abandonnent la place. C'est à ce moment que j'arrive pour manger ma garbure en paix (une soupe traditionnelle du Sud-Ouest avec du chou, des légumes et de la viande).

Je voulais te dire: je me suis inscrite à deux cours de dessin à l'ESAC (l'École supérieure des arts de Pau). Je crois que ça va me faire du bien de retourner à l'école dans un cadre pas trop officiel. Dessiner m'a toujours rendue heureuse. Peut-être que je pourrais faire ça de ma vie, finalement. Illustrer des livres ou des magazines. Faire des expos. Je sais que je serai pas riche, mais tant pis. La comm, ça me fait chier. Je suis clairement pas faite pour ça.

Je sais que ça t'inquiète, mais je vais le terminer, mon bac. Peut-être que je pourrais le faire par cumul. Ou changer carrément de domaine en me faisant créditer quelques cours.

Il y a beaucoup de jeunes qui font une pause en attendant de reprendre leurs études. Je suis loin d'être la seule. Je sais que ça paraît long comme pause, mais je vais retourner à l'école.

Je comprends que mon éloignement soit difficile pour toi, mais, en un sens, j'ai l'impression de pas avoir eu le choix. J'ai besoin d'être toute seule, d'être loin, de me retrouver. Des fois, à force de vivre au même endroit, à force de fréquenter les mêmes personnes et de suivre le même parcours, on se perd. J'y pense beaucoup, ces temps-ci. Au fait que je me sens perdue, que je sais pas encore quoi faire de ma vie. Que je veux peut-être même pas avoir à le savoir tout de suite. J'ai pas envie de me réveiller dans 20 ans et de me rendre compte que ce que j'ai fait, je l'ai fait uniquement parce que je m'y sentais obligée.

Tu sais, ce qui t'est arrivé à toi... Après un bout, si on fait rien pour changer, on étouffe, on explose. Pis ça fait mal aux autres, anyway. Moi, je vous fais peut-être mal maintenant, mais j'ai l'impression que ça va m'aider à me brancher plus tard. Tu comprends? Je me déconnecte un peu. Je me rebranche bientôt. Une pause santé.

J'ai pas encore de réponses à mes questions, mais j'ai l'impression ici d'être au bon endroit au bon moment. C'est déjà pas mal, non ?

Je me suis pas fait des masses de copains, mais je m'entends bien avec ma voisine. Elle s'appelle Maïté et est charmante comme tout. Tu l'aimerais beaucoup, je pense. En fait, je crois que c'est impossible de pas l'aimer.

Je sais pas trop quoi te dire d'autre. Quoi te raconter. Je m'ennuie pas, mais la vie est tranquille. Le temps passe lentement et vite à la fois.

Papa est mort depuis un an le mois passé. Le 29 juillet, right ? C'est tellement proche et puis tellement loin. C'est... irréel. J'essaie parfois de comprendre ce qui s'est passé, d'isoler l'événement, comme une variable, mais je peux pas. C'est comme insaisissable. Comme si c'était pas vraiment arrivé. Peut-être que ça fait encore trop mal pour y penser.

N'oublie pas que je t'aime et arrête de t'inquiéter.

Désolée de pas t'avoir écrit avant.

Ta fille,

Ariane

Petite, mon père me demandait souvent: «Ari, avec qui tu veux te marier plus tard?»

Invariablement, je répliquais: «Toi!» Et, invariablement, un sourire s'étirait sous ses oreilles.

— Mais tu peux pas épouser ton papa!

— Han! Mais pourquoi pas?

— Ben... ta maman, elle en penserait quoi? C'est elle, mon épouse!

Je haussais les épaules, l'air de dire: «J'ai ben hâte de voir comment elle va m'en empêcher...»

Il adorait ça. Il adorait être l'homme de ma vie. Et moi, naturellement, j'étais la petite femme de la sienne. La seule vraie, au fond.

Selon Freud, le complexe d'Œdipe s'incarne dans le désir inconscient de vouloir entretenir des relations sexuelles avec le parent du sexe opposé. Pour ce faire, l'enfant fomenterait le projet tout aussi inconscient d'éliminer son parent rival. Toute mon enfance, j'aurais donc planifié un matricide subliminal.

Perso, j'ai jamais souhaité la mort de ma mère. La faire magiquement disparaître de la surface terrestre, peut-être. L'envoyer vivre à Madagascar, sûrement. Mais qu'elle crève, non. Bien sûr que non. Juste d'y penser, ça me donne envie de pleurer.

D'ailleurs, j'ai longtemps joué à me faire pleurer. C'était comme un défi : je m'enfermais dans ma chambre avec un ourson entre les bras et je fermais les yeux pour imaginer des trucs horribles. Par exemple, je pensais à la scène du film *Far from Home* quand la famille abandonne le golden retriever à une mort certaine. Ils choisissent l'enfant au lieu du chien. Ça me faisait hurler de rage. « Choose the dog ! Choose the dog ! » Mais des fois, la pensée du golden retriever aux yeux luisants ne suffisait pas à réveiller mes larmes. Alors, j'imaginais ma mère morte. J'arrivais à mesurer l'ampleur de son absence, à imaginer le vide cruel de sa disparition, et je me sentais tout à coup si seule et si désespérée que je sanglotais jusqu'à ce que la morve et les larmes trempent ma peluche et mon oreiller. Jamais je n'imaginais la mort de mon père. Ça ne m'aurait pas fait pleurer autant, je crois.

Puis, au Viêt Nam, lorsque ma mère m'a annoncé la mort de mon père, une des premières choses à laquelle j'ai pensé c'est : c'est pas juste, ça aurait dû être elle. Le p'tit Jésus s'était trompé. J'étais mieux préparée à sa mort à elle.

Le temps d'une soirée, ma vie à Pau a changé de cap. Des fois, c'est tout ce que ça prend. Une soirée.

Maïté et moi en étions à une leçon sur YouTube. Je lui montrais des vieux vidéoclips de Francis Cabrel. On a regardé un clip live de *Petite Marie*. Maïté s'extasiait sur ses yeux bleus, et moi, sur sa moustache. Elle m'a avoué son intarissable fantasme Cabrel et j'ai explosé de rire. On a ri jusqu'à ce que son regard gris après-pluie devient sombre-préouragan.

— Ariane, qu'est-ce que tu fais ?

Je l'ai dévisagée, incrédule.

— Ben… je te donne des cours de modernité, Maïté.

Elle a secoué gravement la tête en fronçant les sourcils. Comme si sa question relevait de l'évidence.

— Non, ma chérie. Je veux dire : ici, à Pau. Qu'est-ce que tu fais ? Pourquoi tu perds autant de temps avec une petite vieille comme moi ?

À ce moment-là, je me suis demandé si, dans ses yeux d'orage imminent, il n'y avait pas aussi un peu de pitié.

— Bah, t'es pas si vieille, Maïté. T'sais que toi et moi, on est les cadettes de l'immeuble…

Elle a réprimé un sourire et secoué encore la tête.

— Parle-moi, Ariane. Raconte. Tu parles jamais. Et une vieille comme moi, ça sait écouter.

Ça y était. Mon sursis avait expiré.

— J'ai rien à raconter. Je voyage. Je fais une pause. Je commence des cours la semaine prochaine et je vais essayer de me trouver un travail. Ça te va ?

Un silence pesant est tombé. J'ai poussé la souris et regardé par la fenêtre. Pas celle de l'ordi. Il pleuvaillait. J'avais envie de me lever, de traverser le corridor jusqu'à «chez moi» et de plonger sous la couette pour faire une longue sieste.

— Tu connais le Garage?

Le visage de Maïté s'était éclairé.

— Le Garage?

— Oui, c'est un bar vraiment top à Pau.

— Maïté, viens-tu juste de lâcher un "vraiment top"?

Elle a gloussé comme une adolescente prise en flagrant délit de cochonneries.

Ariane boit une pinte de Delirium Tremens rose en fixant le bout de ses souliers. *Sex on Fire* résonne dans les haut-parleurs. Toutes les tables sont occupées. Les murs sont décorés de cornes de buffles et de signaux routiers. À sa gauche, deux garçons et deux filles mangent leur burger et trempent leurs frites dans la mayo en souriant. À sa droite, un couple se caresse le bout des doigts. Une grande fille franchit la porte du bar et pousse un cri aigu en envoyant la main à un groupe installé au fond. Une de ses amies se lève, impatiente, et se précipite vers elle en trépignant. Elles s'étreignent. Celle qui vient d'entrer dégage une mèche rebelle du visage de son amie et la place doucement derrière son oreille. Ariane pense à Marie-Caroline.

Au 8 bis, rue Carrère, Ariane ne se sent pas vraiment seule. Mais ici, là, plongée dans la foule estudiantine qui réintègre progressivement la ville universitaire, elle est vraiment perdue. Carrément seule. Dans le sens de rejetée, solitaire, solitude, isolement, abandon, abandonnée.

Il y a un an, je sortais danser avec mes deux meilleurs amis. Là, j'attends ma seule amie, une petite vieille qui vient d'apprendre ce que texto *veut dire.*

Maïté avait raison : en l'espace de quelques jours, Pau s'est bel et bien métamorphosée. À l'aube du trimestre d'automne, la moyenne d'âge est passée de 72 à 27. Demain, c'est la rentrée.

Ariane tapote la table et se maudit d'avoir oublié son cahier à dessin chez elle.

— En fait, il y a un spectacle de musique rock demain soir au Garage. J'aimerais que tu m'y accompagnes. Le groupe s'appelle Beurre-nigne-mène.

— Quoi ?

— Beuh-ningh-meïn.

Je l'observe avec des yeux ronds et Maïté me tend une brochure noir et rouge en papier glacé. *The Burning Men.*

— Ah... Tu veux aller voir ça, toi ?

Maïté prend un air offensé.

— Mais... C'est du métal. Et je croyais que ta chanson préférée c'était *L'encre de tes yeux*...

— J'aime bien le métal aussi !

Elle croise les bras sur sa poitrine et fait sa moue enfantine de bébé vieux. La moue qui signifie : « Allez, tu acceptes ou je boude. » Je ne sais pas trop quoi répondre. J'aime bien passer mes soirées chez moi, seule et tranquille, avachie sur le sofa du salon à lire, à écouter des films, à dessiner. Je me couche tôt, je me lève tard. Parfois, je fais même une sieste en milieu d'après-midi. Jamais eu autant sommeil de toute ma vie.

— Maïté, pourquoi t'invites pas ton Pierrot ? Je suis sûre qu'il voudrait t'accompagner. Et puis, ça vous ferait une belle sortie en amoureux !

— Ariane ! C'est à toi que je le demande. C'est avec toi que je veux y aller. Et puis, tu le connais : mon mari est incapable de demeurer assis sans bouger plus de 30 minutes sans s'endormir. Il ronfle au cinéma, il ronfle devant la télé, il ronflera devant le spectacle. T'imagines ? La honte ! Déjà que je suis plus toute jeune, au moins, si j'y vais avec toi, je passerai un peu plus inaperçue.

Je pense « Et moi, je passerai pas inaperçue du tout » en me mordillant la lèvre inférieure. Aucune envie de fréquenter les bars palois. Aucune envie de sortir. Aucune envie de décevoir Maïté non plus. Soupir, soupir. Maudite p'tite vieille, elle me proposerait de faire du snorkeling dans le Gange que j'accepterais.

— OK, Maïté. Je te garantis rien. On verra.

Ça veut dire oui et elle le sait.

Ariane, 19 h 12 : Suis au Garage. Je t'attends. Tu arrives ?

19 h 19 : Toujours pas de réponse. Quand t'as 72 ans, être en retard de 20 minutes, c'est comme être en retard de deux heures. La ponctualité vient naturellement avec l'âge. Peut-être que l'horloge biologique de ta mort imminente t'oblige à profiter efficacement de chaque instant. Les retards correspondraient à un gaspillage dramatique des minutes de vie restantes.

Ariane, 19 h 21 : Allô ???

Mes doigts tambourinent impatiemment sur la table et je regrette pour la dixième fois de ne pas avoir apporté de cahier ou de bouquin pour tuer le temps. Il ne reste plus qu'un tiers de ma pinte rose. Je prends un menu abandonné et entreprends de le lire attentivement.

Ariane, 19 h 24 : Maïté, tu es où ? Qu'est-ce qui se passe ?

19 h 26 : Peut-être que ma voisine a mal assimilé sa leçon de la veille sur les textos. Il ne reste plus que 20 centimes

de crédit sur mon cellulaire. De quoi envoyer encore deux ou trois messages. Impossible de faire un appel avec si peu. Et si je me rendais en vitesse au bureau de tabac du centre pour acheter une recharge Orange ? Mais Maïté risquerait d'arriver durant mon absence… Je ne veux pas rater ma mémé.

19 h 29 : Je vide le reste de ma pinte d'une traite en fixant anxieusement la porte.

Soudain, Ariane comprend tout. Elle est foudroyée. Et ça fait mal, plus mal qu'un coup de pied avec des caps d'acier ou qu'une gifle avec un poing américain. C'est cinglant et ça contracte tout le corps. Maïté est morte. C'est sûr qu'elle est morte. Elle a fait une attaque. Elle a eu un accident. Elle s'est fait renverser par une voiture. Un infarctus. Jamais sa voisine ne la ferait patienter comme ça toute seule, sans donner de nouvelles. Jamais elle n'arrive en retard. Jamais.

Ariane vacille sur sa chaise. *Non, faites que non. C'est pas juste. Ça se peut pas.* Mais elle est certaine. Sûre et certaine. Une larme roule sur sa joue et elle appuie sa tête sur la table, entre ses coudes, courbant l'échine. Un sanglot la fait hoqueter. *C'est pas juste.* Le couple de la table voisine, intrigué, l'examine à la dérobée. Elle se redresse d'un bond.

Mais peut-être qu'elle est pas encore morte. Peut-être qu'elle est en train de mourir. À la maison. Ou à l'hôpital. J'ai sûrement le temps de lui dire au revoir. Je peux lui dire merci. Lui dire que je l'aime. Lui dire que je l'oublierai pas de sitôt. Lui dire que je crois à quelque chose après la mort, que je sais pas c'est quoi, mais que c'est peut-être mieux qu'ici.

Elle s'accroche à cette micromiette d'espoir. Tout pour ne pas ressentir l'impuissance. Tout pour ne pas être loin, encore. Ariane ramasse en vitesse son blouson sur le dossier de sa chaise et fourre son téléphone dans sa poche qui se met à vibrer. Ça sonne. Un appel. Elle regarde l'afficheur : Maïté.

— ALLÔ ?

— Ça va, Ariane ?

— MAÏTÉ, C'EST TOI ?

— Mais oui, c'est moi ! Ça va, ma chérie ?

— Qu'est-ce qui se passe ? T'es où, merde ? Tu fais quoi ? Tu vas bien ?

— Doux Jésus, mais calme-toi ! Bien sûr que je vais bien !

— Mais pourquoi t'es aussi en retard, ça fait plus d'une demi-heure que je t'attends ! Je suis en train de faire une crise cardiaque, moi ! Pourquoi tu répondais pas à mes messages ?

— Ariane, on a rendez-vous à 20 heures. J'étais sous la douche.

C'est vrai, elle se rappelle : elles s'étaient donné rendez-vous à 20 heures. Elle sort du Garage et s'assoit à même l'asphalte, un peu à l'écart du bar. Ses mains sont moites, ses aisselles humides, mais une vague de soulagement l'envahit. Elle ferme les yeux. *Merci Jésus.*

— Ariane, tu es là ?

— Oui, oui, je suis là. Désolée de m'être énervée, je m'étais trompée d'heure. J'étais inquiète...

— Écoute, ma chérie, j'ai un contretemps. Un rendez-vous important que j'avais oublié et que je ne peux absolument pas louper. Je suis désolée, mais tu devras aller au spectacle sans moi.

— Mais le spectacle, c'est dans plus d'une heure ! Et puis, t'avais tellement insisté pour que je t'accompagne, Maïté... Je m'en fous, moi, de la musique métal !

— Je suis vraiment désolée, ma chérie ! On se voit bientôt, promis. Je dois vraiment y aller, sinon je vais être en retard, justement. Mais... Profites-en ! Va au spectacle sans moi. Tu me raconteras comment c'était. Et, tant que tu y es, rencontre des jeunes de ton âge ! Fais-toi des amis !

Elle raccroche.

Rendez-vous, mon cul. Ariane voit clair dans son jeu : les questions sur sa présence à Pau, le spectacle, le bar « top ». *Ostie de vieille sacripante de maniganceuse !* Elle aimerait lui en vouloir, mais sait que sa voisine pensait bien faire. Qu'elle s'inquiète sincèrement pour elle. Et il y a quelque chose de tellement charmant dans ses tactiques canailles. Quelque chose d'un peu pathétique aussi. Si Maïté se sent obligée de jouer à l'entremetteuse entre elle et les autres « jeunes » de Pau, c'est qu'il y a vraiment quelque chose qui cloche. *Elle a peut-être pas tort. Je peux pas m'enfermer éternellement dans ma grotte du 8 bis. Un jour, je devrai bien fraterniser avec d'autres que les petits vieux de mon immeuble.*

Ariane pose une main sur sa bouche pour s'empêcher de pouffer de rire. *Ostie de maniganceuse de sacripante à marde!* Son blouson encore sur le dos et son téléphone au creux de la paume, elle rouvre la porte du Garage et se dirige vers le bar.

— Une autre pinte de Delirium, s'il vous plaît.

D'épais flocons tombent du ciel. La première neige. Elle est si épaisse qu'on dirait des bouts de ouate ou des bouchées de barbe à papa suspendues dans l'atmosphère. Les flocons atterrissent pour se joindre au reste du bourbier transparent, perdant ainsi leur blancheur cotonneuse. Si on ajoutait du colorant rouge et du sucre aux trottoirs de Pau, on marcherait sur de la slush aux cerises.

Ariane contemple le spectacle de son lit. Elle ne pense à presque rien.

Un bourdonnement fait vibrer le matelas. Elle retrouve son téléphone sous son oreiller.

Daniel, 12 h 13 : T'as fait tes bagages Riri ?

Elle a un peu la gueule de bois. Elle planifie de tout fourrer à la dernière minute dans son sac kaki. Trois paires de sous-vêtements, deux shorts, trois t-shirts, deux maillots de bain, des verres de contact de rechange, son cahier à dessin, ses fusains, ses couleurs, quelques romans, des gougounes et un appareil photo jetable.

Six mois à Pau. Des amis, des cours à l'ESAC, une nouvelle vie, presque. Toujours pas de travail. Mais pourquoi travaillerait-elle, au fond ? Elle en a, de l'argent. Et puis, ici, en France, ça fonctionne par contrat. Quand on signe quelque chose, c'est sérieux. Presque comme un mariage entre l'entreprise et l'employé. On ne peut plus renoncer quand on veut. Briser un contrat à durée déterminée, c'est presque aussi compliqué que de divorcer.

Les cours à l'ESAC lui suffisent. Non pas qu'elle se sente particulièrement stimulée par ses séances bihebdomadaires de gribouillage en groupe. Elle s'oblige à y aller pour s'enlever le remords de cette vie empruntée à l'héritage de son père. *Au moins, je vais à l'école*. De la rhétorique pure.

Tous les lundis et les jeudis soir, elle prend son vélo, descend le long du boulevard Alsace-Lorraine jusqu'à l'avenue du Général Leclerc, emprunte l'allée de Morlaàs, enchaîne son vélo autour du vieux peuplier et pénètre dans le bâtiment qui ressemble aux locaux d'un entrepôt désaffecté. L'édifice central est plutôt joli, étroit et haut, en pierre sombre. Autour, des cabanes métalliques, basses, se répartissent les cours de dessin, de graphisme, de peinture, etc. Son local à elle se situe tout au fond de la cour, dans une maisonnette jaune bosselée. Sur la porte, un perroquet, bouche ouverte et langue sortie, accueille silencieusement les arrivants.

Les professeurs assignent des tâches aux étudiants : « Dessinez cet homme ! » « Faites le croquis de ce visage ! »

« Détaillez bien ces muscles, ces rides, ces plis et ces ombrages ! » Ils déambulent dans la classe, passent d'un dessin à l'autre pour retoucher un trait ou s'interroger sur la justesse des proportions. Ariane remarque régulièrement leurs mouvements de menton approbatifs ou leurs haussements de sourcils impressionnés. Mais rien de plus. Elle n'ira pas plus loin, ici. Seul point positif, selon elle : elle a pour la première fois la chance de représenter des nus.

Ariane dessine des femmes, des hommes, des vieux, des petits, des grosses, des minces, des laides, des moustachus. Elle préfère les rondes et les maigrichons ; les courbes ondoyantes et les aspérités anguleuses. Son portrait préféré : un homme ventru, mais délicat, au nez coupant comme une lame de rasoir, aux bras secs, aux fesses tombantes et aux jambes en équerre. Au-dessus du front du modèle, elle avait tracé, dans un beau lettrage foncé : « Le pointu ».

— Pourquoi "Le pointu" ? avait voulu savoir l'enseignante.

Ariane avait haussé les épaules sans prendre la peine de répondre à la question. *Parce qu'il est pointu, épaisse.*

Les cours ne stimulent ni son imagination ni sa créativité. *On nous encourage pas à prendre de risque. Rien qu'à reproduire la réalité. Never think outside the box. Le seul critère, c'est d'être vraisemblable. Si c'est ça, bien dessiner, si c'est juste copier le monde, alors vaut mieux pas dessiner du tout.*

Son téléphone bourdonne de nouveau. Elle admire toujours la barbe à papa dans le ciel.

Daniel, 12 h 29 : Tu penses à prendre ton passeport ?

Ariane, 12 h 30 : Ça fait pas partie de la France le Cap Vert ?

Daniel, 12 h 30 : Lol... Je voulais juste vérifier...

Ariane, 12 h 31 : :P

Elle, c'est Riri, lui, c'est Danny. Ils s'aiment bien. Demain, ils partent ensemble pour le Cap-Vert. Dix jours de bonheur ensoleillé. Ariane en a marre de la pluie. *Marre, marre, marre. Il pleut pas qu'à Paris. L'hiver, il pleut partout en France. La maladie de l'humidité, le froid qui glace les os, les crottes de chien mouillées, les manteaux trempés, la guerre des parapluies. Je préfère encore la guerre des tuques.*

Aujourd'hui, la neige, c'est un miracle. Qui durera pas.

Dans la tête d'Ariane, il neige de la slush rouge.

Elle empoigne le cahier à dessin rangé dans le tiroir de la commode à côté de son lit et rassemble un stylo-feutre noir, un bâton de fusain et un petit tube de peinture à l'huile écarlate. Un oreiller calé dans le creux de son dos, un autre derrière son cou, elle se met à dessiner.

Depuis la France, depuis Pau, Ariane dessine en couleur. Elle a l'impression d'avoir conquis un nouveau territoire, un peu comme Dorothée dans *The Wizard of Oz,* quand elle débarque sur Munchkinland. Ariane aussi a guerroyé avec une sorcière et survécu à une terrible tempête, avant de s'envoler pour atterrir dans ce nouveau pays où tout n'est plus uniquement noir, blanc et gris. Dans son Munchkinland à elle.

Avec le fusain, elle trace les trottoirs du boulevard des Pyrénées et les montagnes enneigées à l'horizon. À l'aide du feutre noir, elle détaille les flancs et les sommets. À leur pied, les trottoirs se précisent avec leurs saillies, leurs arêtes et leurs renflements. Il n'y a encore rien dans le ciel ; pas un nuage, pas un flocon, pas une goutte de pluie. Ariane trempe un index dans la peinture vermeille et, avec des mouvements souples, gracieux, elle rature les rues et les montagnes. Elle éponge une partie de la peinture excédentaire avec un mouchoir et transforme l'épaisse neige rouge en fine poudreuse, en frottant doucement son poignet sur la page. À la toute fin, une longue traînée de peinture écarlate zèbre le ciel, comme si une étoile filante de neige illuminait les monts.

Son paysage ensanglanté la regarde, songeur.

Elle en est presque satisfaite.

Cuba, 2007. Direction les Caraïbes, son premier tout-inclus. Ses parents ont besoin de vacances. À Noël, on troque le sapin contre le palmier. C'est étrange pour Ariane d'escamoter les traditions habituelles : la messe de minuit, la neige, le feu de bois, la bûche trop sucrée, les saucisses cocktail de matante Micheline. À Montréal, une tempête a retardé leur départ. Au lieu de partir le 23, ils décolleront la veille de Noël pour fêter le réveillon à La Havane. *La Habana*. Dans la famille, c'est Ariane qui parle le mieux espagnol. Cours de première secondaire obligent. *¡Hola! ¿Cómo estás? Yo soy canadiense. Vivo en la provincia de Québec. Hablo francés. Me gusta la playa*.

Ariane a 14 ans. Une *teenager*. Elle n'a pas encore eu ses premières menstruations, contrairement à la presque totalité de ses amies. Quelle honte d'être aussi en retard ! Elle fait donc semblant : tous les 28 jours, elle se plaint de crampes utérines, de maux de dos et de sautes d'humeur. Elle traîne même des tampons dans son sac pour prouver que.

Ses seins sont gros comme des crottes de souris, dit sa mère, ce qui fait crier Ariane au meurtre. Son père prend sa défense : « Presque une femme, notre Ari ! » Mais le *presque* la vexe tout autant.

Dans son sac de voyage, un bikini. Son premier vrai. Il est orange et jaune. Elle remplit à peine le haut, fait de petits triangles suggestifs. La culotte lui va mieux, ses fesses sont galbées, un « beau petit cul bombé ».

Avant le décollage, son père lui cède le hublot. Ses parents sont assis l'un à côté de l'autre, son père au milieu, sa mère près de l'allée (elle a souvent envie d'aller aux toilettes). Ils parlent peu et Ariane fixe le ciel. Tout est blanc, on ne distingue rien, à part les ailes qui hachent le vent.

Cap-Vert, 2013. Ariane enfile la culotte échancrée et le haut en lycra. Le tissu blanc est parsemé de petits pois bleus. De face, le résultat est acceptable. C'est lorsqu'elle se tourne de côté que l'enflure de son petit ventre et la courbure exagérée de ses fesses la font rougir. *Ostifi de bouffe française à marde!* En France, elle a repris tous les kilos perdus depuis l'Asie, depuis la mort de son père et l'Argentine. C'est l'effet foie gras.

— Magne-toi, Riri, il reste que deux heures de soleil!

Elle grimace à son reflet dans le miroir et Daniel se met à fredonner *She wore an itsy bitsy teenie weenie yellow polka dot bikini* en riant.

— Arrête de me niaiser, j'ai l'air d'un éléphant.

— Mais non, Riri, t'es belle comme un cœur.

Ariane hausse les épaules et s'empresse de passer une serviette sous ses aisselles.

— Let's go, coco.

Ils sont amants. Des amis amants. Peut-être le meilleur des mondes, pense Ariane. Daniel est attentif, affectueux, gentil, ouvert, cultivé. Il ne veut tout simplement «pas de relation à ce moment de sa vie». Elle non plus. Pourtant, parfois, lorsqu'elle est seule dans son lit, elle voudrait pouvoir rêver à quelqu'un. Par défaut, il lui arrive de rêver à Daniel.

Dans le fond, c'est quoi la différence entre être ensemble et pas être ensemble? On s'embrasse, on se touche, on baise, on va au resto, on écoute des films, on parle de livres, on échange de la musique, on jase. Même que, des fois, on se tient par la main.

La différence, c'est la disposition de l'esprit. Et l'ouverture de l'organe cardiaque à l'autre. Les soubresauts intérieurs, les papillons papillonnant dans l'estomac, la chaleur qui monte dans le bas-ventre quand l'autre s'approche, quand l'autre embrasse, la peur de le perdre, sa peur à lui de vous perdre, vous. Pas une petite peur, pas une crainte ordinaire, non, une terreur grandiose de ne plus partager vos jours ensemble.

Étendu sur le ventre, ses longues jambes croisées dans les airs, le talon gauche appuyé contre le droit, Daniel lit le magazine *Monocle*. Elle, assise en indien, dessine le visage de son ami-amant au fusain. Une foule d'Italiens se presse au bar de la piscine pour commander des caïpirinhas. Un animateur hurle au micro: «*Tutti quanti, tutti quanti!*» C'est l'heure du *happy hour* et des «jeux de tatas». Ariane a lu sur le site de l'hôtel que le club tient pour favoris les vacanciers italiens, si bien que toute l'animation se fait dans leur langue. Tant pis. Ou tant mieux. Au départ de Toulouse, le quatre étoiles leur revenait à 900 euros pour 10 jours. Ils avaient commencé par comparer les prix pour l'île de Santiago, moins touristique et plus authentique. Le seul aller-retour sans hôtel leur aurait coûté plus de 1 000 euros. Ils avaient donc choisi un tout-inclus sur l'île de Sal. *Solo italiano per meno caro.*

L'animateur annonce un concours de déhanchement sur du Lady Gaga (Ariane se rappelle les origines italiennes de la chanteuse et se demande si les animateurs ne choisissent pas sa pop par revendication nationaliste). *Poker Face* retentit sous les palmiers. Des jeunes et des moins jeunes, tous exaltés, grouillent autour de la piscine en donnant des coups de fesses. Elle sursaute quand, avec un grand clac,

Daniel abat son magazine sur son propre postérieur. Triomphant, il brandit son arme roulée en parchemin.

— Ils m'emmerdent, ces Italianos. Ça te dit qu'on aille se promener sur la plage ?

Ariane acquiesce. Elle fourre son cahier dans son sac avant que Daniel ne s'aperçoive qu'il s'agit de son portrait.

— Je propose de bannir la piscine de notre rituel soleil.

— Tope là.

Une fois le marché conclu, Danny retient la main d'Ariane dans la sienne et les deux amis se dirigent vers la mer et le soleil plongeant.

— On laisse nos gougounes ici ?

— Nos QUOI ?

Ariane soupire, exaspérée. *Maudits Français !*

— Nos tongs.

— Bah, ouais… Je crois pas qu'on se fasse voler.

Il dépose un baiser bruyant sur sa joue. Des papillons papillonnants volent dans l'estomac de « Riri ». Mais elle préfère les ignorer.

2007. À la réception de l'hôtel, une petite Cubaine plantureuse leur souhaite la bienvenue. Elle tend deux exemplaires d'une carte magnétique permettant d'ouvrir la porte de la chambre 451. Son père en donne une à Ariane. « Comme ça, tu peux entrer et sortir comme tu veux. » L'adolescente est soulagée de se voir octroyer un bout de liberté. « Maria » est écrit en lettres attachées sur le rectangle de carton épinglé à la blouse de la réceptionniste. La Maria ouvre un tiroir sous la caisse et en tire trois bracelets orange. Elle explique au trio, dans un français parfait :

— Vous devez porter vos bracelets en tout temps. C'est grâce à eux que vous pourrez manger gratuitement au buffet ou à n'importe lequel de nos trois restaurants spécialisés. Seulement, notez bien que pour El Marisco, il faut réserver au moins 24 heures à l'avance. Les horaires pour les repas du buffet sont fixes, mais vous pouvez toujours commander à grignoter au snack-bar de la piscine à toute heure de la journée. Les boissons alcoolisées sont évidemment incluses et servies jusqu'à minuit aux différents bars de l'hôtel. Vous avez des questions ?

Denise presse la main de Jean en haussant les sourcils. Du menton, elle désigne le bracelet d'Ariane. Jean s'approche de la réceptionniste et baisse le ton, chuchotant presque.

— Il y a un petit problème… Ma fille n'a que 14 ans… Et elle peut commander au bar ?

Déçue, Ariane soupire bruyamment. Maria replonge la main dans le tiroir sous la caisse pour en ressortir un bracelet turquoise.

— Pardon, monsieur. C'est mon erreur. J'ai pris votre fille pour plus vieille qu'elle ne l'est.

L'adolescente rougit, humiliée de se voir retirer son bracelet d'adulte, mais soulagée de la méprise de la réceptionniste. D'habitude, on la croit plus jeune que son âge. Son père lui presse la nuque comme pour s'excuser.

— Écoute, Ari, tu sais qu'on n'a rien contre une petite bière de temps en temps. Mais on préfère que ce soit avec nous, en mangeant.

La jeune fille hausse les épaules. De toute façon, elle ne prévoit pas commander en solo des cocktails au bar. Seulement, elle aurait préféré bénéficier de la même couleur de bracelet que celui de ses parents. Elle a l'impression que le mot *enfant* est écrit en grosses lettres autour de son poignet. Or, Ariane n'est plus une enfant.

En tout cas, c'est ce qu'elle croit.

La barmaid se hisse sur ses orteils pour atteindre une bouteille de sirop à la fraise haut perchée sur l'étagère. Au même moment, sa jupe se retrousse et dévoile la partie supérieure de ses cuisses. Une zone plus sombre annonce la ligne de son rasage, comme si la jeune femme, pressée, n'avait pas pris la peine de se tondre en entier. Fascinée, Ariane fixe les poils noirs restants. La serveuse surprend son regard et rabat brusquement sa jupe sur ses cuisses. Elle dépose un diabolo fraise devant sa cliente avant de lui tourner le dos. Prise en flagrant délit de voyeurisme, Ariane se détourne vivement. Un couple se chamaille joyeusement dans la piscine. Un autre s'embrasse langoureusement. Même de loin, on arrive à distinguer leurs langues entrelacées.

Ses jambes à elle sont blanches et lisses. Des jambes douces, presque imberbes. Des jambes dodues et souples de petite fille. On dirait encore une prépubère. Seuls quelques poils châtains sont apparus sur son pubis. Ses hanches restent étroites et la courbe prononcée de son dos fait ressortir son petit ventre de bébé. *C'est vrai que mes seins sont ridicules…* Elle regrette presque de ne pas avoir emporté son une-pièce bleu ciel qu'elle mettait pour ses cours de natation. Personne ne l'a jamais trouvée sexy. *Ça, c'est certain. Mignonne, sûrement. Charmante, peut-être. Mais sexy, non. Jamais sexy.*

Encore ce matin, remplissant parfaitement son deux-pièces rose, sa mère évaluait son reflet dans la glace. « Tu me trouves grosse, Ari ? » Sa fille n'avait pas répondu. « Ari ! Je t'ai demandé si tu me trouvais grosse. » Comme une formule répétée mille fois, une chanson sur *repeat*, un « Sésame, ouvre-toi » : « Non-maman-je-te-trouve-pas-grosse. »

Ariane vide d'un trait son diabolo. Un hoquet s'échappe de ses lèvres. Elle sent la paire d'yeux qui la scrutent à sa gauche. Un coup d'œil rapide lui révèle un Cubain dans la trentaine, assez grand et très mince. Il lui adresse un sourire brillant.

— *¡Hola!*

— *¡Hola! No hablo español...*

— *Speak english?*

— *Yeah...*

À quoi bon se faire payer des vacances à Cuba si c'est pour être encore forcée d'entretenir une conversation? *On peut-tu me crisser patience deux secondes?*

— *Where you from?*

— *Canada. Montreal.*

— *Oh... Very cold there, no?*

L'homme se serre les flancs, comme s'il se protégeait d'un froid imaginaire. Ariane hoche la tête.

— *You in vacation? When do you arrive?*

— *I arrived yesterday. I'm here with my parents.*

Elle les cherche du regard pour les montrer du doigt, mais ne les voit pas. *Ils sont sûrement vautrés quelque part sur la plage.*

— *How do you like Cuba?*

— *It's nice...*

— *How long you stay?*

Interdite, elle oriente son visage vers le sien pour le regarder en face, préparée à le rabrouer poliment. Elle n'a aucune envie de subir le questionnaire formel, aucune envie d'encourager l'animateur dans sa corvée de divertir les vacanciers. *I am no charity case.* Mais les yeux pâles au milieu de son visage cuivré la laissent coite. Le contraste entre la pâleur de son iris et la lisse opacité de sa peau est troublant. Une dent dorée éclaire le fond de sa gorge. Sur sa chemise immaculée, un carton indique son nom. Jaime. Elle s'en veut tout à coup d'avoir été si froide et, de peur que son attention ne glisse vers un nouvel auditeur, elle lance :

— *You know what?*

Il réplique, surpris, amusé :

— *No. What?*

— *Your name, in french. It means "I love".*

Jaime lui lance un clin d'œil coquin.

— *I know…*

2013. Leurs assiettes débordent de poisson pané, de pâtes, de pain et de patates. Daniel et Ariane mastiquent en discutant, la bouche pleine de *p*. La longue marche sur la plage a creusé leur appétit. Les cocktails de fin d'après-midi aussi. Ils ont besoin de se remplir le ventre pour tromper la fatigue et leur taux d'alcoolémie. Le nez de Daniel commence déjà à peler. Les épaules d'Ariane sont brûlantes. Elle a laissé son soutien-gorge dans sa valise et porte une fine chemise de coton. De temps en temps, elle surprend le regard de son ami qui devine les extrémités pointues de ses seins sous le tissu léger. Ariane se sent belle. Grâce au soleil, des taches de rousseur font irruption sur ses joues et sur son menton. Elle observe son ami vider rapidement son assiette avant de quitter la table pour se resservir au buffet.

Manger, plage, marcher, plage, manger, plage, dormir, faire l'amour, boire, manger, boire, faire l'amour, dormir. Si la vie pouvait se résumer à ça…

Peut-être aurait-il mieux valu que les deux ne soient qu'amis. Amis platoniques. Désambiguïsés. En France, Daniel aurait joué le rôle de son Jules national, de son confident indéfectible et confortable. Mais ça ne s'était pas passé comme ça.

Le piège de Maïté avait fonctionné à merveille. Cette soirée au Garage s'était révélée fructueuse en rencontres amicales. Ariane y avait fait la connaissance de Sandra, d'origine espagnole, étudiante en ingénierie, et de Thomas, son conjoint, journaliste pour un hebdomadaire palois. Il y avait ensuite eu d'autres soirées au Garage et d'autres rencontres : les amis des amis, puis les amis des amis des amis. Dans le lot, elle avait découvert Daniel, grand garçon large d'épaules, qui détonnait parmi ses compatriotes, vu la constitution mâle française habituellement fluette. C'était un bon vivant, facile à côtoyer, qui aimait sortir, rire, boire, manger. Et lire. Il lisait sans arrêt et lui avait fait découvrir le nouvelliste Raymond Carver, qu'elle avait dévoré et adorait depuis. Un gars rare, Daniel.

Objectivement, Ariane reconnaissait son charisme, mais elle ne ressentait pour lui aucune attirance particulière. Son visage lisse, presque juvénile, cadrait drôlement avec le reste de sa silhouette. Une tête d'enfant sur un corps d'homme épanoui. Pour cette raison et pour d'autres encore – la douceur de sa voix, sa gentillesse désarmante, sa politesse presque démesurée –, Ariane n'avait envisagé leurs rapports que sous l'angle de l'amitié. Au terme d'une soirée arrosée, elle lui avait chastement proposé de passer la nuit chez elle, au lieu de faire en sens inverse les 45 kilomètres de voiture qui le séparaient de son lit à Maubourguet. Après lui avoir souhaité bonne nuit, Daniel lui avait timidement demandé, un peu comme on quête une faveur : « Riri, est-ce que je peux t'embrasser ? »

Elle n'avait pas su refuser. « On peut toujours essayer... » Son baiser, d'une ferveur et d'une sensualité inattendues, avait fait exploser des attentes qu'elle n'avait même pas encore. La première nuit, les amis, troublés par leur embrassade passionnelle, n'avaient pas fait l'amour. Ils s'étaient simplement endormis dans le lit d'Ariane, l'un dans les bras de l'autre, serrés dans une étreinte étonnamment naturelle. Au matin, elle avait ouvert les yeux sur Daniel, profondément assoupi, une main sur son ventre, l'autre sous ses reins. Elle sentait son sexe dur, gonflé contre sa hanche, bouger doucement, de haut en bas, au rythme de sa respiration. C'est en le chevauchant qu'elle l'avait réveillé. Ils avaient joui, elle, éveillée, lui, à moitié endormi.

Puis, l'intimité avait grandi et une bulle s'était construite autour d'eux, entre eux, presque malgré eux. À force de se toucher, on apprend à se connaître, de l'intérieur comme de l'extérieur. Ils s'envoyaient des textos à longueur de journée. Ils partageaient déjà une multitude de souvenirs et d'anecdotes complices. Ariane n'avait encore jamais consacré autant de temps à un homme. Ils prenaient leur douche ensemble, se collaient la nuit, faisaient souvent l'amour. Ou, s'ils ne faisaient pas vraiment l'amour, ils ne «fourraient» pas non plus. Ils «baisaient» plutôt. Durant la journée, ils n'étaient qu'amis. De bons amis. Le soir venu, ils devenaient amants. Et s'ils n'étaient pas des amants amoureux, ils étaient des amants amourés.

Daniel enfourne sa dernière bouchée. Il pose sa fourchette avant de déclarer:

— Je vais me chercher un dessert.

Ariane remplit son verre de rouge à même le gros fût en bois posé au centre de la salle de buffet. Elle termine tranquillement sa «piquette» rouge, pendant qu'il engloutit meringues, brownies et crème glacée. Après le repas, main dans la main, ils regagnent la foule de vacanciers et se fraient un chemin jusqu'au bar de l'hôtel. Ils s'assoient tout au fond, loin des voix criardes des touristes éméchés. La lune éclaire la terrasse. Le vent siffle sur les palmiers et l'eau noire de la piscine luit dans l'obscurité, pareille à une patinoire glacée.

2007. Jean et Denise semblent filer le parfait amour. Bien sûr, de temps en temps, des haussements d'épaules ou de sourcils, des soupirs exaspérés et des répliques un peu sèches viennent gâter la relation. Mais, globalement, à Cuba, ils paraissent heureux. Ils ont l'air d'un couple « sain ». Drôlement agencé, certes, mais « sain ».

Son père entoure la taille de sa mère, fier de se promener au bras d'une si jolie épouse. Il lui donne des baisers sur le front, sur les joues, lui caresse le bas du dos et elle, elle roucoule, en minette encore mineure. Ariane est partagée : préfère-t-elle leurs disputes à leurs attouchements maritaux ?

Je suis vraiment jamais contente.

Pour leur dernière soirée caribéenne, ses parents ont réservé une table à El Marisco. L'endroit est bondé. Des fleurs exotiques en plastique et des chandelles parfumées monopolisent le centre de table. Jean et Denise partagent une assiette de surf'n'turf tandis qu'Ariane se lance à la recherche des crevettes et pétoncles restants dans ses linguine. Elle n'a pas mangé le tiers de son assiette. Fébrile, elle observe sa montre : 21 h 44.

— Ça va, Ari ?

— Ben oui. Pourquoi ?

— T'as pas l'air dans ton assiette, cocotte !

— Nenon. Ça va. J'ai juste l'estomac un peu tout croche. Je pense que je vais aller me reposer à la chambre ce soir. Je voudrais pas avoir la turista dans l'avion.

Ses parents prévoient assister au fameux spectacle du vendredi soir. *La grosse affaire : g-strings, booty shaking, musique poche.* Une occasion en or pour leur faire faux bond. Elle a rendez-vous avec Jaime sur la plage dans 15 minutes.

Et leur avion décolle pour Montréal à 14 heures le lendemain. *C'est ce soir que ça doit arriver. It's now or never.*

Ses parents discutent tranquillement. Jean cède galamment la dernière langouste à sa mère.

— Bon, les amoureux. Je vais aller me reposer. J'ai pas très faim de toute façon. Et je veux être en forme demain.

— OK, ma belle. Tu sais où nous trouver s'il y a quoi que ce soit. On se voit plus tard à la chambre ? Et prends une Gravol, OK ?

— Oui, oui, OK.

Ariane fait escale aux toilettes pour appliquer du noir sur ses paupières et du mascara sur ses cils. Ça la vieillit un peu. Elle porte des jeans taille basse et son t-shirt le plus flatteur. Son col en V libère ses jolies clavicules. Il est ajusté au niveau du torse, mais plus ample à la taille. Vert, pour faire ressortir ses yeux. Ariane se regarde de biais et sourit à son reflet, rassurée de constater que son petit ventre est bien dissimulé sous le coton.

Elle a 10 minutes de retard et Jaime n'est toujours pas arrivé. Pourtant, c'est le bon lieu de rendez-vous. Elle en est certaine. C'est à cet endroit qu'il l'a embrassée, au troisième jour de ses vacances cubaines.

Sa conscience lui souffle des évidences : Jaime est trop vieux et elle n'a aucune raison de lui plaire. L'hôtel regorge de belles femmes dont la puberté est terminée depuis au moins plusieurs années. Mais, finalement, elle s'en moque. Avec lui, elle se sent femme. Et, menstruations ou pas, ce soir, elle le deviendra irrémédiablement. Elle s'assure que la poche arrière de ses jeans contient toujours le condom à saveur de cerise. Cela fait plus d'un an qu'elle l'a pioché dans le pot commun à la sortie du cours d'éducation sexuelle. Ariane ne sait pas si les contraceptifs ont une date d'expiration. *Paraît qu'on peut tomber enceinte sans même avoir encore ovulé*. Ça aussi, elle l'a pris dans son cours d'éducation sexuelle.

Il est 22 h 18 : Jaime n'est toujours pas arrivé. Une part d'elle souhaite le voir débarquer au plus vite, tandis qu'une autre prie secrètement pour qu'il n'apparaisse jamais. S'il vient, elle ne peut plus changer d'avis. Ariane s'assoit sur un tronc humide et ramène ses jambes contre sa poitrine. À l'aide d'une brindille, elle dessine une série de cercles concentriques dans le sable. Elle peut encore partir. Lui dire qu'elle n'a pu fausser compagnie à ses parents. Ou mieux : ne rien dire du tout. Il serait facile de l'éviter toute la matinée du lendemain.

Un bruit de pas étouffé se fait entendre à travers le crépuscule et les remous de la mer. Ariane relève le menton. Jaime lui envoie la main à quelques mètres. Il porte un débardeur bleu marine. Elle pense : *En anglais, une camisole de gars, on appelle ça un* wifebeater. *«Batteur de femmes». Je me demande bien pourquoi*. Ariane secoue la tête et sourit.

Il ne s'excuse pas pour son retard et l'attire tout de suite à lui pour la remettre sur ses pieds.

— *Follow me*.

C'est une commande, pas une requête. Ariane, presque rassurée, n'a plus rien à décider. Elle suit Jaime qui la guide vers la mer noire et l'horizon indigo.

2013. Avec la tombée de la nuit, le vent a redoublé d'ardeur et Ariane frissonne. Daniel ôte son blouson et le pose sur les jambes nues de son «amioureuse». Il rapproche sa chaise de la sienne pour lui frictionner les épaules de ses grandes mains. Ariane sent le regard brûlant de son ami sur ses lèvres. Doucement, elle les entrouvre ; une invitation silencieuse à les embrasser. D'habitude, ils ne se permettent pas de baisers en public. Mais ici, c'est différent. Il plonge vers elle. Sa langue réveille la chaleur dans son bas-ventre. Le baiser se prolonge, capiteux, et la chaleur qui inonde son sexe devient rapidement incendiaire.

— On va dans la chambre?

Ariane repousse sa chaise et tend une main vers Daniel qui la prend. Mais il la force à se rasseoir.

— Attends.

Elle ne dit rien et l'observe, curieuse. Silence.

— Ben quoi? Tu veux une autre caïpirinha? Parce que sincèrement, moi, j'en peux plus.

— Ariane, il faut que je te parle.

Elle est inquiète soudain. Une maladie incurable et contagieuse? Ou pire, un «break-up d'amiour»?

— ... Ben oui. Quoi?

Son ami déglutit, mal à l'aise. C'est comme s'il se préparait à lui annoncer une catastrophe. Elle ne veut pas le perdre. *Pourquoi y a toujours quelque chose qui vient tout gâcher?* Le moment était parfait et elle aurait tellement voulu le prolonger dans la perfection: dans la chambre, lui imbriqué en elle, elle en lui. *Deep puzzle.*

Daniel inspire profondément et saute dans le vide.

— Je t'aime.

2007. Lentement, Jaime retire son haut et son bermuda. Il est nu, son pénis est dressé, parallèle au sol. Une touffe de poils frisés assombrit son bas-ventre. Ariane pense au sien, à son pauvre duvet épars. Face à face, à portée de bras, de doigts, ils se dévisagent. Elle ne sait trop quoi ressentir; sa tête est vide, son cœur aussi. Tout ce qu'elle sait, c'est qu'elle a envie de le faire. Que ce soit réglé. Une bonne fois pour toutes. Sa première fois.

Jaime fait un pas vers elle. Il saisit son poignet et le guide vers son sexe. Elle se rappelle fugacement ses derniers visionnements pornographiques : l'index et le pouce qui entourent le gland, la main qui va et vient, lentement au début, puis de plus en plus vite. Elle fait de son mieux. La respiration du Cubain s'accélère, ses yeux se ferment un instant. Puis, soudain, il interrompt le geste en lui faisant signe d'y aller plus doucement.

Ariane se sent rougir, retire sa main et bafouille des excuses.

Tendrement, Jaime se penche pour l'embrasser.

En espagnol, il susurre : « Laisse-moi faire. »

Il passe le t-shirt d'Ariane par-dessus sa tête. Elle porte un soutien-gorge tout simple, sans fioritures ni broderies. Blanc-crème, 34 A.

Il tire sur les bonnets pour révéler ses tétons et, pendant qu'il caresse ses menus seins, elle examine son torse mince et musclé qui brille sous la lune, son sexe encore dressé, curieuse protubérance animée de sa propre conscience. Elle se sent incohérente dans ses jeans devant son amant flambant nu. Prestement, elle s'extirpe de son pantalon et de sa petite culotte. Maintenant, leurs deux corps brillent ensemble dans l'obscurité. Jaime la fixe fiévreusement. Aucun homme ne l'a encore regardée ainsi. Comme une femme.

— *You are very, very beautiful.*

Les joues d'Ariane réchauffent la nuit.

— *Thanks.*

Jusque-là, elle songeait à la mécanique de la chose. Un gars, une fille, un pénis, un vagin. Mais non. C'est plus que ça. Elle ferme les yeux. Jaime baise sa nuque, ses oreilles, caresse ses seins, lèche ses mamelons, un à un, lentement, avant de les pincer du bout des dents. La mâchoire d'Ariane se serre et les doigts de Jaime cherchent son sexe déjà humide, glissant. Au passage, il frôle les poils naissants de son pubis. Jaime soupire, son souffle est court, presque haletant, comme si la caresser était aussi excitant que de se faire caresser. Il effleure l'intérieur de ses cuisses, contourne l'endroit qui brûle, l'endroit qu'elle voudrait tant le sentir toucher. Son corps tremble légèrement. L'attente se prolonge, les doigts se rapprochent, agaçants, de son sexe. Le plaisir croissant est une douleur exquise.

Ses caresses tortueuses s'interrompent et Jaime tombe à genoux. Son visage arrive à la hauteur du ventre d'Ariane qui ne pense plus du tout à ses insécurités convexes. Elle voudrait reprendre ses mains dans les siennes pour les guider de nouveau jusqu'à son sexe. Le forcer à la toucher. L'attente est terrible. Les grandes mains de Jaime attrapent les hanches enfantines d'Ariane. Il dépose des baisers humides, presque timides, autour de son nombril, le long de son pubis, longtemps, avant de plonger sa langue dans son nombril. Le souffle d'Ariane devient saccadé, souffrant.

De sa bouche, Jaime entoure le sexe d'Ariane et pousse brutalement sa langue contre son clitoris. Ses cuisses tremblent, et ses jambes ne supportent plus que difficilement son poids. Toute son attention se concentre sur le dard visqueux qui fait vibrer son sexe. Sa langue n'est plus une langue. Elle n'est plus de ce monde. Jaime la mange, presque violemment, jusqu'à ce qu'elle jouisse en hurlant.

Il se redresse, la regarde dans les yeux (une paire bleue devant une verte), pose un nouveau baiser, sur ses lèvres cette fois, et la déclare prête pour la suite.

Jaime attrape la paume humide d'Ariane et l'entraîne sur la plage, vers la mer.

2013. Abasourdie, Ariane pousse la porte de leur chambre d'hôtel. L'air est glacial, le climatiseur n'a pas cessé de tourner. Elle s'effondre sur le lit, la bouche ouverte. Un poisson en hiver.

C'est quoi mon problème?

Daniel est parti «prendre l'air». Comme s'il s'était soudainement fait trop rare dans les parages d'Ariane, comme s'il asphyxiait de partager son oxygène avec le sien.

Mais c'est quoi mon ostie de problème?

Il lui a avoué qu'il l'aimait. Elle a répondu: «Non.» Alors, il a insisté: «Si, je t'aime.» Et elle a répété: «Non.»

Le «non», c'était pour elle, pas pour lui. Pourtant, il était certain qu'elle l'aimait aussi. Tout y était: la complicité, l'humour, la tendresse, la chimie sexuelle. Après une longue attente, Daniel s'était remis à parler. À tout débiter. Très vite. Comment ça marcherait. À quoi ressemblerait leur futur. Elle referait son visa et vivrait un an ou deux de plus en France. Elle pourrait s'installer avec lui à Maubourguet, à moins qu'elle ne préfère rester à Pau (peu importait, au fond, ils s'arrangeraient pour se voir aussi souvent d'une manière ou d'une autre). Elle pourrait chercher un emploi en restauration (elle avait de l'expérience, non?), aurait tout le temps pour dessiner, et lui, en attendant, il chercherait un travail à Montréal.

Si tout se déroulait comme prévu (c'est-à-dire parfaitement), ils repartiraient y emménager ensemble. À deux, ce serait moins cher. Elle reprendrait ses études. En plus, le frère aîné de Daniel vivait à Montréal (s'en souvenait-elle? l'avait-il déjà mentionné?) et il lui «tardait» de le retrouver. Et puis, il avait besoin de changer d'air, il en avait assez de la France, des Français. Mais surtout, surtout, plus que tout, il voulait être avec elle, elle, Ariane. Tout ce qu'il fallait, c'était «un peu d'investissement personnel», «de persévérance», «de foi», «d'efforts», «comme dans toutes les relations».

Il avait terminé son discours, essoufflé, et avait posé sa main sur la sienne, tendrement, l'air de dire « Je sais que t'as peur, mais je sais que, toi aussi, tu veux être avec moi. » Il attendait son verdict, ignorant le « non » précédent, comme s'il n'avait jamais été prononcé (il s'était sûrement agi du témoignage de son incrédulité ou de sa surprise : comment pourrait-elle refuser ?). Inerte, le regard perdu, découragée, Ariane avait été incapable de répondre quoi que ce soit.

Perdue, elle se sent tellement, tellement, tellement perdue.

Les yeux de Daniel étincellent, un peu comme ceux des personnages de bandes dessinées japonaises, quand leurs pupilles scintillent, débordantes, prêtes à exploser d'un trop-plein d'émotions.

— Danny…

Ariane presse ses paumes contre ses yeux, le bout de ses doigts repose à la lisière de ses cheveux que le vent marin ne cesse d'emmêler. *Ostie. Ostie. Ostie!*

— Daniel…

De grosses larmes couvrent subitement les joues de la princesse. Elle étouffe un sanglot dans le creux de sa manche.

— Parle-moi, Riri. Tout va bien. Je t'aime. Tout va bien.

Il chuchote à son oreille, lui caresse les cheveux, sourit. Il parle à une petite bête blessée. Ariane, la mystérieuse Québécoise éplorée. Lui, c'est le sauveur. *The knight in a shining armor* tombé du ciel. Habituellement, après les aveux, les amoureux s'enlacent, euphoriques. La princesse saute dans les bras du prince-chevalier, l'embrasse, réplique : « Oui, oui, oui, moi aussi. Je t'aime, tu m'aimes, on s'aime. » *Ils vécurent heureux et eurent beaucoup d'enfants non trisomiques.*

Mais non, pas cette fois. Pas avec lui. Pas maintenant.

— Qu'est-ce qui se passe, Riri ?

Le prince s'inquiète. Elle s'imagine un instant en Rapunzel brune et bouclée. Ses cheveux dégringolent de la plus haute tour du château. Seulement, sa chevelure n'est pas assez longue pour permettre au prince de grimper jusqu'à elle. Il lui manque une bonne longueur de couette. Lui, il sautille, s'étire, gesticule, mais ne peut rien faire de plus. Elle restera prise dans sa tour.

— Je t'aime aussi, Danny. Juste pas comme ça. Je pensais que c'était clair. Que c'était simple. Écoute, on est amis, on couche ensemble, on dort collés, c'est tout. Je peux pas faire plus en ce moment. C'est pas que t'es pas super. Tu sais combien je t'adore. Je sais pas quoi te dire, sincèrement. J'étais certaine qu'on était sur la même longueur d'onde.

Sa voix se brise.

Leurs verres vides sont disposés en quinconce au centre de la table. Les discussions enjouées des autres vacanciers se superposent à la voix de Dean Martin qui chante *Volare*. Daniel se lève. Ariane pleure toujours.

— J'ai besoin d'air.

Il reste un instant immobile avant de ramasser les verres vides pour aller les rendre au barman. Sans se retourner, il quitte le bar de l'hôtel.

2007. Sous le clair de lune, Jaime aide Ariane à récupérer ses sous-vêtements, ses jeans et son t-shirt avant de rapatrier ses propres effets. Ariane époussette le sable humide collé à ses habits avant de les remettre. «*Adiós.*» Elle envoie une dernière fois la main à sa première fois avant de sprinter jusqu'à la chambre 451. Elle prie très fort pour que le spectacle à l'hôtel ne soit pas encore terminé.

La couture de ses jeans frotte contre son sexe au rythme de ses enjambées. Elle tire sur sa fourche pour limiter la friction entre le tissu et sa vulve irritée. Son pantalon et son sexe sont deux plaques tectoniques voisines, Ariane en ressent la brûlure qui n'a plus rien d'agréable. Sa première pénétration. Au début, ça avait été tellement excitant. La bouche de Jaime sur son sexe, le cri d'extase, puis, au milieu des vagues, son amant qui la caressait en frottant doucement son pénis contre sa vulve et le désir, concentré, qui continuait à consumer son bas-ventre. Il avait voulu la pénétrer dans la mer, mais elle avait protesté: «*Rubber...*»

Ils étaient donc retournés sur la berge et, après avoir enfilé le condom à la cerise sur son gland, il était entré en elle. Cette fois, c'était un cri de douleur qui s'était échappé de sa gorge. Il s'était arrêté.

— *It's your first time.*

Il le savait. Il l'avait toujours su.

Jaime s'était remis à bouger, plus doucement, mais il avait du mal à se maîtriser et l'excitation reprenait vite le dessus, avec l'envie d'aller plus loin et plus fort. Il poussait des grognements tandis qu'Ariane se cambrait, tout son corps réticent, comme rejetant l'assaut de ce corps étranger. Les coups de hanches de Jaime étaient devenus brusques, presque violents. À un moment, elle avait senti son pénis s'enfoncer si loin dans son ventre qu'elle avait eu un haut-le-cœur. Heureusement, comme il faisait noir, elle n'avait pas dû contrôler l'expression de son visage et, mâchoire contractée, lèvres scellées, elle s'était répété un mantra silencieux: *Pleure pas, Ariane, pleure pas.* Ce qui n'avait pas empêché des larmes de perler au coin de ses yeux.

Absorbé par le mouvement de va-et-vient qui s'accélérait, Jaime avait empoigné fermement les longs cheveux de sa jeune amante et il avait tiré soudainement, rejetant la tête d'Ariane en arrière. Son cou découvert, il l'avait baisé avec ferveur tandis qu'elle poussait un nouveau cri de douleur qu'il avait étouffé de sa main libre. Quelques secondes plus tard, c'était lui qui hurlait, de plaisir, s'effondrant de tout son poids contre la petite carcasse adolescente. Il était resté un long moment allongé sur elle, pâmé de bonheur, comme en transe, à caresser les petites fesses bombées et ensablées d'Ariane.

2007. Elle s'arrête dans le hall désert pour observer son reflet dans l'un des larges miroirs. Elle se sourit, fière: *Ça y est, je l'ai fait.* Ses vêtements sont couverts de sable et ses cheveux sont en bataille. *J'espère au moins que ça paraît pas dans ma face. Est-ce que ça peut paraître sur un visage?* Elle s'examine de plus près dans la glace. Mais rien n'a changé. C'est elle, Ariane, pareille.

Une fois parvenue au couloir des 400, elle ralentit. Une lumière filtre sous la porte. *Fuck.* Avant de toquer, elle inspire profondément.

C'est son père qui ouvre.

— A-RI-A-NE!

— …

— Veux-tu bien me dire OÙ tu étais? Ça fait trois heures qu'on s'inquiète, ta mère et moi. On était prêts à appeler la POLICE, sacrament!

— Euh… Je pensais que vous étiez au spectacle…

— Nous, on pensait que tu étais à la chambre! Ta mère non plus se sentait pas bien, finalement. Elle est revenue se coucher.

— Ben…

Faites que ça paraisse pas, faites que ça paraisse pas.

— Je voulais pas vous inquiéter… Je me sentais juste vraiment pas bien, pis j'arrivais pas à dormir, ça fait que je suis allée prendre l'air un peu. Je me suis étendue sur le sable et j'pense que je me suis endormie. Mais j'me sens mieux là, ça m'a fait du bien, l'air marin...

Son père n'achète pas. Méfiant, il cède le passage pour la laisser entrer dans la chambre, les poings sur les hanches. Il est furieux. Denise, muette, fixe sa fille, incrédule.

— Avoir su que vous alliez revenir plus tôt, je vous aurais avertis. Mais je pensais être partie une demi-heure, pas plus.

Mal à l'aise, elle tourne le dos à ses parents pour se diriger vers sa valise et attraper son pyjama. Sa mère s'écrie, hurlant presque :

— ARIANE !

Sa fille se retourne, terrorisée. *Fuck, elle sait.*

— Quoi ?

— Ben ça y est, Ariane !

Les yeux ronds de Denise la scrutent. Épouvantée, l'adolescente veut la contredire, lui assurer que non, qu'elle se trompe, qu'elle n'a rien fait, qu'elle le jure.

— Ça y est, ma belle ! Tu es une femme ! Tu es menstruée !

Elle se penche pour regarder son entrejambe imprégné d'un liquide rouge foncé. Du sang.

Son père fait un pas vers elle.

— Pauvre cocotte, c'est sûrement pour ça que tu avais mal au ventre...

Il lui tapote timidement l'épaule, l'air de ne pas trop savoir quoi dire, honteux d'avoir pu soupçonner autre chose. Il finit pas bredouiller :

— Félicitations, ma belle.

Surexcitée, sa mère la serre dans ses bras. Ariane, aussi stupéfaite qu'embarrassée, n'émet pas un son.

— T'inquiète, ma belle, j'ai tout ce qu'il faut : j'ai apporté des serviettes hygiéniques et demain, je te montrerai comment mettre un tampon, d'accord ?

Elle hoche la tête tandis que sa mère lui tend un sachet rectangulaire en plastique bleu. Son père chuchote quelque chose à l'oreille de Denise qui éclate de rire.

Ariane se dirige vers les toilettes où elle s'essuie l'entrejambe avec du papier de toilette imbibé d'eau et de savon.

C'est durant un cours d'éducation physique, un an plus tard, qu'Ariane sent une moiteur désagréable envahir sa culotte. Elle s'excuse auprès de sa professeure et se rend aux toilettes. Un liquide foncé, presque brun, tache son sous-vêtement et une partie de son short. Ses premières menstruations.

2013. Étendue sous l'édredon moelleux, Ariane médite derrière ses paupières closes. Daniel est parti «prendre l'air» depuis un bon moment déjà.

Pourtant, c'est un beau garçon. Intelligent. Gentil. Drôle. Romantique. *Good on paper.*

Au fond, ça changerait quoi de répondre oui? De répondre «moi aussi»? Ça serait même pas complètement faux. Ils sont déjà amis, amants. C'est vrai qu'elle l'aime bien. Et peut-être que le reste suivra. Peut-être que la prochaine étape, c'est de devenir amoureux. N'en a-t-elle pas déjà rêvé, de cette fameuse déclaration amoureuse? Et, dans ses rêves, ne s'imaginait-elle pas répliquer «oui» sans hésiter?

Qu'est-ce que j'en sais, moi, de toute façon de ce que c'est qu'être amoureuse? Qu'est-ce qui me dit que c'est pas ça, justement? Que je le suis pas déjà?

Mais elle le respecte trop pour lui permettre de se projeter dans l'avenir avec elle. Son cœur est fermé. *No vacancy.* Elle pense à ces médaillons de petites filles, ces petits cœurs dorés, troués d'une serrure. *Le mien a perdu sa clé.*

Il y a un an, elle aurait sûrement répondu « moi aussi ». Mais plus maintenant.

Là, elle est en train de se reconstruire tranquillement et, pour ce faire, elle doit monopoliser toutes ses énergies à cette seule et unique entreprise. Comment se donner à moitié si on est déjà tout morcelé ?

Peut-être qu'elle le regrettera. Que dans un an, dans deux ans, elle se souviendra de cette soirée au Cap-Vert au cours de laquelle elle a repoussé l'homme de sa vie. Elle reviendra en rampant vers lui, le suppliera de bien vouloir la reprendre, mais il en aura déjà rencontré une autre, bien meilleure, le cœur ouvert, prête à donner toutes les moitiés de ses morceaux.

Peut-être qu'elle s'autosabote. Qu'elle ne se satisfait que de relations dysfonctionnelles, d'individus malsains, de rapports compliqués. Dès lors que ça peut fonctionner, elle se sauve en courant.

Peut-être qu'elle a peur. D'avoir mal. D'être déçue. De décevoir.

Peut-être qu'elle ne sait pas encore comment aimer sans partiellement haïr. Comment aimer paisiblement, doucement, comme ceux qui savent faire durer l'amour longtemps.

Peut-être qu'elle n'aurait pas dû lire *Fanfan* à l'âge de 12 ans. Peut-être que son cerveau a été irrémédiablement manipulé, gâché, gâté par les cueillettes d'edelweiss, les coups d'éclat démesurés et les courses à l'amour toujours absolues et imprévisibles d'Alexandre Jardin.

Peut-être qu'elle ne se contentera jamais plus de rien. Qu'il lui faudra toujours plus et mieux, alors qu'elle-même n'est ni plus ni mieux.

Peut-être qu'elle considère le fait d'ajouter un autre être humain à son équation de vie comme irresponsable et illogique. Mieux vaut se perdre toute seule que d'en entraîner un autre dans son labyrinthe.

Peut-être que se sentir aimé, c'est une trop grande responsabilité.

Peut-être qu'elle n'est pas prête à se poser. Ni en France. Ni à Montréal. Ni ailleurs.

Peut-être que son voyage n'est pas encore terminé.

CINQUIÈME PARTIE

Baby Come Home

Je sais pas t'es où. Je sais juste que t'es parti, que t'es pas là et que tu reviendras pas.

J'ai fait un test. À droite de « To: », j'ai tapé ton nom et @hotmail.com. (Je te l'ai jamais avoué, mais en 2013, c'est un peu loser d'avoir encore un compte Hotmail. Tout le monde est sur Gmail, papa.) Le message était vide, mais j'ai quand même pesé sur send. J'ai attendu une minute. Deux minutes. Pas eu de message de retour. Même pas de truc qui disait : « Delivery to the following recipient failed » avec ton adresse à côté.

C'est weird, tu trouves pas ? T'es pus là, mais je peux encore t'envoyer un e-mail. J'imagine bien que tu me réécriras pas. Même si ça serait cool que tu puisses le faire. Genre le corps nourrit la terre ou croupit en miettes dans son urne poussiéreuse, mais l'âme reste branchée sur le cyberespace. Tu reçois ton message en direct du défunt. Et il y a jamais de problème de connexion dans l'au-delà. Sont plogués sur le 4G en permanence.

C'est un peu glauque, quand même. Je pense à tous ceux qui ont une page Myspace, Facebook ou un compte Twitter. Quand ils meurent (ou pire, se suicident), le contenu électronique reste là, inactif, mais toujours disponible. Et si les gens viennent écrire sur la page des morts ? S'ils s'autorisent à faire des remarques désobligeantes sur leurs anciens statuts, sur leurs commentaires passés, sans même que le décédé en question puisse répondre ou se défendre ? Il peut pas bloquer, supprimer, il peut plus rien faire : il reste à la merci des tatas sur Internet qui ont accès à sa page.

J'imagine qu'éventuellement, on peut demander de faire supprimer un compte. Mais comment ? Est-ce qu'il faut envoyer un certificat de décès à Mark Zuckerberg ? Ou au DG de Hotmail ?

N'empêche, je t'ai googlé. T'étais là. Dans un article de La Presse de mai 2007. On t'avait interviewé sur la question de l'emplacement du CHUM à Montréal. Tu prônais le centre-ville contre l'ancienne gare de triage à Outremont. Tu utilisais des mots importants comme : « démocratie », « bien commun » et « accessibilité ». Pas pire pantoute, le père ! Je me rappelle qu'à l'époque, je te posais jamais de questions sur ton travail. D'abord, tes réponses étaient trop longues, trop détaillées. Puis, sincèrement, ça m'intéressait pas. But things change.

Donc, j'ai décidé que je t'écrirais. Au lieu de désinquiéter une vivante (la mère), pourquoi pas plutôt dialoguer avec un mort ? (Je sais que je suis pas ben fine...)

Ça va bientôt faire 20 mois que je voyage. Ta fille aura 23 ans le mois prochain. Ça va aussi bientôt faire deux ans que t'es parti. On s'est sauvés presque en même temps.

Je m'ennuie de toi, papa. C'est fou. Je pense que je m'ennuie autant de toi qu'au début. Peut-être plus, même. Tu crois que c'est normal ? Je pense moins à toi, mais la vérité, c'est que ça fait pas moins mal. Il y a quelque chose qui me creuse. Et je suis là à fouiller dans une espèce de no man's land intérieur pour combler je sais pas quoi. La perte de toi. Mais c'est pas tout.

Je me demande quand ça va s'arrêter. Si mes foreurs intérieurs atteindront le noyau, un jour. Et même ! Est-ce qu'il existe, le noyau ? Ils ont percé la croûte, ça c'est clair. Ils ont galéré dans le manteau et sont maintenant pris à nager dans le liquide, un magma bouillant, en effusion, dangereux, à la recherche du noyau solide, la graine au centre, la fin dans le milieu. Mais papa, s'il y en avait pas de bout, de révélation profonde, de remède plus que temporaire ? Et si on trouvait jamais ?

Il y a des gens qui racontent qu'ils ressentent encore la présence de l'être cher après sa mort. Moi, je ressens rien pantoute. Je leur en veux. Je leur en veux avec leur religion, avec leurs croyances, leur spiritualité. Moi, je te sens plus, je te sens plus parce que j'entends plus ta voix, parce que je te vois plus, parce que je te touche plus, parce que je te parle plus. Je t'écris, c'est tout. Mais je doute que tu vas me lire. Je pense pas que ton âme prospère dans le cyberespace. Et, sincèrement, si j'étais une âme errante, je m'en câlisserais pas mal de lire mes courriels. J'aurais mieux à faire, j'espionnerais le monde d'en haut ou je regarderais le film de mon passé avec Jésus sur un divan en nuages.

Reste que je t'écris. Et, s'il y a une minuscule, infime, insignifiante chance que tu me lises, ben je la prends.

Je t'aime.

Ta fille,

Ariane

Assise sur son sac à dos Quechua, Ariane fixe les rails de train souillés par des emballages en plastique, des bouteilles vides, des restes de nourriture et autres résidus inertes non identifiables (RINI). Elle a troqué sa grande poche kaki pour un 90 litres flambant neuf de chez Décathlon. Une Asiatique (Coréenne ? Chinoise ? Japonaise ? *Same same but different…*) somnole à sa droite. Ariane se demande comment on peut s'assoupir dans de pareilles conditions. Le cliquetis des pattes de rats qui s'agitent autour d'elles l'empêche de desserrer la mâchoire (dormir demeure donc inenvisageable).

Le train a plus de quatre heures de retard. Son estomac gargouille drôlement, barbouillé par le (ou les) dernier(s) repas. Le paneer masala du midi est descendu de justesse le long de son œsophage (il menaçait de régresser du larynx au pharynx, avant d'être expulsé par la cavité buccale). Par conséquent, elle a opté ce soir pour des amandes et une banane achetées au marché d'Agra. Ça n'a rien changé. Diarrhée explosive immédiate (DEI). En Inde, les humains ont le mécanisme digestif d'un bébé chien. Tout ce qui entre par un trou ressort par un autre en l'espace d'une demi-heure.

Elle n'aurait pas cru retourner en Asie de sitôt. Elle ne l'aurait pas cru, mais elle l'a fait. *L'Asie du Sud, c'est pas l'Asie du Sud-Est, right?* Ici, ça sent le curry et le henné à plein nez, tandis que là-bas, c'est la citronnelle et le jackfruit qui embaument les rues. Et, détail non négligeable, les gens sont bruns, pas jaunes. L'expérience sera donc différente. Positive, sûrement.

Tout s'est fait vite. Très vite.

Anniversaire («anniv'») d'Olivier, un de ses meilleurs amis («potes») de Pau. Pour l'occasion («l'occase»), ils se retrouvent à l'Imparfait. «Faire la teuf», «prendre des tof». Au coup de minuit, une fille arrive. Pas Cendrillon. Lola, elle s'appelle. Tout de suite, Ariane est séduite par son prénom. Lola, c'est un nom de star; Lola, c'est Lolita, mais pas celle de Stanley Kubrick, celle de Adrian Lyne, belle comme un cœur, vraie peste provocante et impudique. C'est aussi l'actrice de *Run Lola Run*. Mais celle-ci n'a pas de chevelure de feu. Sa peau est mate, cuivrée de soleil, ses yeux sont bleu Maroc et ses longs cheveux descendent en avalanche blonde le long de son dos. Au-dessus de sa tête flotte une aura. Tout le monde gravite autour d'elle; des abeilles dépendantes qui la butinent. La soirée avance. Ariane boit des demis pêche, les amis jouent à la chaise musicale et, finalement, la plante rare se plante devant elle. Ses cheveux en cascade encadrent son regard d'été.

Lola revient tout juste d'Inde. L'Inde la merveilleuse-belle-fantastique-magique-qui-te-change-complètement-pour-toute-la-vie-à-tout-jamais.

La grand-mère d'Ariane avait l'habitude de dire «les Indes». «Tu t'en vas pas en Inde, tu t'en vas aux Indes.» Ariane s'interroge sur la nécessité de l'article défini. *Une affaire de colonisation, sûrement.*

Lola semble sur le point de conclure son énumération adjectivale du pays par: «Un truc de ouf!», mais, peu satisfaite de son épilogue, elle en rajoute:

— Tu sais ce que c'est, le slogan de l'Inde?

— Non, je sais pas.

— "Incredible India". Parce que, j'te jure, Ariane - c'est ça, c'est bien ton nom, Ariane? -, c'est incroyable comme pays! Vraiment! Et pour une voyageuse comme toi, c'est un incontournable.

Les mots *incroyable* et *incontournable* se mettent à tourner dans la tête d'Ariane.

Lola avait voyagé six mois, traversant tout le Sud à partir de Delhi. Elle avait marché dans les rues de Mumbai, s'était vautrée sur les plages de Goa, avait médité à Bangalore et travaillé au Kerala, avant de remonter au Tamil Nadu pour terminer son épopée à Varanasi et enfin reprendre l'avion direction Paris. Puis Pau. *And there she was.*

— Je suis pas allée au Taj Mahal, par contre. Au Rajasthan, non plus. Trop touristique. J'ai pas fait le Nord, non plus. Ça, par contre, j'aurais aimé. Quand j'y retourne - parce que j'y retournerai, c'est certain -, je visite le Nord. Le Nord, c'est les montagnes, la frontière tibétaine, le dalaï-lama. Il paraît que c'est trop, trop bien. Mais tu sais, c'est immense, l'Inde. T'en as pour toute une vie à découvrir le pays.

Toute une vie à découvrir le pays.

Ce soir-là, Ariane était revenue au 8 bis, en marchant lentement, songeuse. Le visage épanoui de Lola flottait dans ses pensées au milieu d'un marché d'épices et de tissus colorés. Des rêves d'aventures et de départs, de renouveau et d'accomplissement. *C'est vrai que ça sonne beau, l'Inde. Beau comme une promesse tenue. Comme un wow garanti. Pourquoi j'y ai pas pensé avant ? L'Inde. L'Inde.*

L'Inde.

Le lendemain, elle se rendait à la médiathèque pour emprunter quelques *Géo* et louer le film *The Darjeeling Limited* (elle tomberait d'ailleurs légèrement amoureuse de l'acteur Jason Schwartzman). Le surlendemain, elle s'achetait le *Lonely Planet* sur l'Inde du Nord (28,99 euros à la Fnac) et dessinait de petites étoiles à côté des destinations les plus alléchantes. Deux jours plus tard, elle optait pour un aller simple vers Delhi (1550 euros, www.vayama.com). Départ une semaine plus tard. Elle n'avait pas réfléchi. Elle préférait ne pas réfléchir.

Let's go, coco.

La dernière fois que je suis partie en Asie, j'ai appris que ta patate avait lâché au beau milieu d'une côte gaspésienne. C'est maman qui me l'avait annoncé au téléphone. Je t'avais pourtant cru invincible. Superdad.

Maintenant, je me dis que l'histoire pourrait se répéter. Y a pas d'ironie trop grande, pas vrai ?

Si maman mourait maintenant, je me le pardonnerais jamais.

Mon départ précipité post-toi-mortem est la preuve irréfutable de mon égoïsme. Preuve irréfutable aussi de mon impossibilité à dealer avec la réalité. Ma réalité. J'ai peut-être l'air inconsciente comme ça, mais je suis plutôt lucide. Lucide d'être égoïste et peureuse.

Quand j'étais petite, tu me répétais souvent que « dans la vie, il faut toujours persévérer ». Je l'ai pas oublié. C'était ta formule magique.

Là, d'en haut, tu dois faire des gros yeux en me regardant. Tu dois penser que j'ai baissé les bras. Et t'as un peu raison.

Peut-être que partir, c'est un peu comme se suicider. L'exilé veut se réincarner ailleurs, autrement. Il se persuade qu'ailleurs, c'est mieux. Ailleurs, c'est plus beau, c'est plus doux, c'est plus simple, c'est plus facile. Mais la vérité, c'est qu'ailleurs, c'est juste différent. Et un peu pareil, aussi.

Hier, je suis arrivée à Jodhpur, la ville bleue.

Je me suis levée assez tôt ce matin pour grimper la route qui mène au Mehrangarh, un des plus grands forts de l'Inde. Là-haut, on comprend mieux pourquoi on l'appelle « la ville bleue ». La plupart des façades sont du même azur délavé. La vue d'ensemble est jolie. Village schtroumpf rajasthani.

Il était même pas 10 heures et le ciel avait beau être rempli de nuages, on aurait dit qu'il faisait encore plus chaud que si le soleil avait brillé. Les couleurs s'atténuaient dans l'humidité poussiéreuse : le rouge-ocre des parois du fort virait au marron, le jaune éclatant des turbans se rapprochait plus du maïs, les montagnes noires étaient presque grises. J'ai contemplé longtemps les remparts et la ville pris dans la brume sableuse. Assise dans la poussière, j'ai fait des croquis.

Un peu comme pour la peinture à numéro, j'ai tracé des chiffres dans le ciel, sur les maisons et à l'horizon. Je voulais faire une légende et trouver des noms pour chaque couleur, pour les imprimer dans ma tête. Plus tard, avec mes pinceaux, je les reproduirais fidèlement : 1. bleu délavé, 2. jaune maïs, 3. noir poussiéreux, 4. vert-de-gris, 5. ocre marron. Mais de retour à la chambre de mon guest house, je savais que, même avec le meilleur matériel du monde, j'arriverais pas à reproduire ce que j'avais vu. Parce que les couleurs avaient déjà pris des raccourcis dans ma mémoire. Leur netteté, leur précision m'échappaient. Il me restait plus que des souvenirs infidèles.

Tu sais, je compte partir d'ici un jour. Me remettre à voyager ou peut-être me réinstaller un petit bout en France.

Mais quand je partirai d'ici, il m'en restera quoi ? Les paysages auront disparu. Les instants seront passés. J'aurai plus que des fragments de souvenirs, de perceptions, des odeurs fugaces, des poussières d'états d'âme que je saurai bientôt plus comprendre ou retrouver. Alors, ça sert à quoi, finalement ?

Si t'étais là, je pourrais tout partager avec toi. Tu serais témoin de mes dessins, de mes expériences et tu confirmerais : « Oui, ça s'est bien passé comme ça. » Ou : « Non, il me semble que c'était différent, que le vert était plus éclatant, que le rose était plus doux. »

Les gens rencontrés ici, je les reverrai sûrement jamais. Ils passent dans ma vie sans laisser de preuve ou de trace. La trace, la preuve, c'est moi. C'est tout ce que j'ai pour me rappeler. Et c'est pas suffisant.

Tu me manques.

Ari

Sur la terrasse du Spice Café, Ariane partage une Godfather avec Teresa. *Two american girls in India.*

Ariane avait besoin d'un nouveau sarouel. Un vendeur ambulant l'avait attirée au deuxième étage de sa boutique. «*Special price just for you, my friend.*» Il tenait un impressionnant étalage de pantalons bouffants. «*The best quality in the whole India!*» Des sarouels de toutes les couleurs, taillés dans tous les tissus possibles. Elle avait jeté son dévolu sur un blanc-crème en soie ajouré avec de petites fleurs roses et vertes. Le vendeur lui en avait demandé 300 roupies et, après avoir négocié quelques minutes, Ariane avait fini par sortir 150 roupies de la poche de son short en lui disant que c'était tout ce qu'elle avait. À prendre ou à laisser.

— *What? You kidding me? You go anywhere, no one sells at this price! I told you, it's the best quality in the whole India!*

— *Yeah, yeah, yeah... Take it or leave it, man. Like I said, it's all I have.*

Elle gardait quelques centaines de roupies dans la petite pochette accrochée à ses hanches, dissimulée sous son t-shirt.

— *So what is it going to be? 150 roupies or zero?*

Agacé, l'homme avait soigneusement plié le sarouel avant de le lui tendre. Elle n'avait pas demandé de sac. Elle connaissait déjà la réponse: «*No plastic bags here.*»

Le gouvernement de Delhi avait interdit l'usage des sacs en plastique à la grandeur de l'Inde. Ariane les trouvait pourtant particulièrement pratiques en voyage: pour le linge sale, pour les affaires humides ou pour celles qu'on voulait s'assurer de garder au sec. Durant la mousson, il lui arrivait souvent de se faire surprendre par l'orage et de récupérer la totalité de ses possessions trempées. Et puis, c'était complètement insensé: on bannissait les sacs en plastique, mais on n'avait aucun scrupule à jeter les déchets n'importe où. Dans les rues s'empilaient des ordures que des chèvres et des vaches broutaient, que des chiens se disputaient. Les enfants se promenaient pieds nus sur des amoncellements de nourriture, d'excréments, de mégots, de papiers. Et l'Inde s'octroyait le droit de faire la morale? L'Inde-dépotoir se la jouait vert? *Incredible India, certainly. Coherent India? Not really.*

À la sortie du magasin, une jeune femme avait tapoté l'épaule d'Ariane. Teresa.

— *Hey! You stay at Jopo's guest house?*

Ariane avait haussé les épaules.

— *Yeah. I guess that's how it's called. Why?*

— *'Cause I stay there too.*

— Ah…

La fille portait des lunettes rectangulaires à monture bleutée, un bermuda fuchsia et un t-shirt Calvin et Hobbes. Au sommet de ses cheveux foncés, elle avait noué un foulard rétro. Ariane la jaugeait d'un air légèrement dédaigneux. *Quétaine* fut le premier mot qui lui vint à l'esprit. L'États-Unienne s'était mise à l'interroger dans la rue. Ariane espérait la semer en marchant rapidement. Elle répondait à ses questions par des grognements ou des onomatopées, mais son interlocutrice ne montrait aucun signe de découragement. Constatant le faible taux de participation de son homologue nord-américaine, Teresa avait finalement opté pour le monologue. Essoufflée, elle tentait de semer son embonpoint et de garder le rythme des enjambées courtes et pressées d'Ariane.

Teresa était professeure de français dans une école primaire de Chicago (« *What a coincidence!* »). Son accent était désastreux et son vocabulaire limité (« Jeu souis oune amewricain. Jeu enseigne lew fwrançais »). Ariane l'avait jugée rapidement. Mais sa perception n'était pas complètement erronée : une gentille fille un peu ennuyeuse qui avait cru ranimer l'intérêt de ses proches avec un voyage en Asie. La nourriture la dégoûtait, elle trouvait le climat « insuppowrtable » et les transports en commun l'embrouillaient, mais Teresa chérissait chaque minute, agrémentant chaque complainte d'une louange. L'expérience indienne restait « féscinant », « totally ounique » et « incrwédible ». Ariane ne pensait pas survivre à cet excès d'intraduisible enthousiasme.

— Tou as mangé ?

— Non, pas encore.

Ariane aurait voulu prendre congé, mais son estomac criait curry. Elles avaient opté pour un café « tourist friendly » (Teresa insistait pour commander des spaghettis). Les deux jeunes femmes s'étaient assises sur la terrasse déserte du toit bleu. À l'ombre, son interlocutrice énervait moins Ariane. Elle apprit que Teresa n'avait pas eu la vie facile : sa mère avait été tuée dans un écrasement d'avion alors qu'elle était encore bébé et son père était mort l'année précédente d'un cancer du cerveau. Un peu comme pour Ariane, le décès de son père était survenu abruptement. Il était mort peu après l'annonce du diagnostic, en l'espace d'une dizaine de jours. Teresa se confiait impudiquement, naturellement, comme si elle se tenait avec une vieille amie. Entre deux bouchées, Ariane leur avait commandé une grande Godfather («*It's on me*») et s'était mise à boire sa bière tranquillement, admirant l'aisance avec laquelle l'États-Unienne se dévoilait devant une parfaite inconnue.

Puis vint son tour. Teresa avait épuisé son monologue. Un silence timide trônait entre elles. Hésitante au début, Ariane s'était mise à parler de tout et de rien, de son voyage et des villes qu'elle projetait de visiter en Inde. Et, très vite, comme un barrage qui cède, un torrent fou qu'on ne peut plus contenir ou retenir, elle avait commencé à parler de tout plus que de rien. De la France. De Montréal. De ses amis. De l'Argentine. D'Alfredo.

De sa mère.

— *You know, it's not that I don't love her. Obviously,* je l'aime : c'est ma mère. Mais elle est tellement… *She's just so fucking annoying! So fucking self-absorbed.* Le monde tourne autour d'elle, toujours, *always been, always will be.* C'est une enfant, *you know.* Pis moi, je suis la mère. Je dois être là pour elle, prendre soin d'elle, veiller à son bonheur. Parce que… *Because, if I don't, she'll make my life a living hell. She'll make everyone's life a living hell.* Ses problèmes deviennent les miens. Puis, des fois, je me demande : si c'était pas ma mère, si j'étais pas sa fille, est-ce que je la choisirais ? *Would I even tolerate her?* Je pense pas… *'Cause frankly, I don't like her. I do love her but I don't like her.* C'est affreux ce que je dis, hein ?

Teresa hausse les épaules en souriant.

— *I dunno. I mean, I guess you don't HAVE to like her, right?*

Teresa pouffe et Ariane l'imite. Elles restent un instant sans rien dire, mais cette fois, le silence n'a rien d'inconfortable. *Elle est cool, finalement, Teresa. C'est con de juger les gens aussi vite.* Ariane soupire. Elle se sent soudainement légère et gratifie son interlocutrice d'un sourire complice.

— Je me sens un peu étourdie.

— Étouwrdie ?

— *Tipsy...*

— *Yeah...* Moi aussi. *Well... at least...*

— *At least, what ?*

— *At least we once got drunk in India.*

De plus belle, les deux jeunes femmes éclatent de rire. L'alcool aidant, le rire de l'une fait redoubler celui de l'autre, inlassablement. Elles se serrent les côtes, se donnent de grandes claques sur les cuisses, dans le dos, s'essoufflent, puis se ravisent, inspirant profondément, les lèvres pincées, essuyant des larmes au coin de leurs yeux avant de se réesclaffer, plus fort encore, d'un rire aigu et bruyant.

La route cahoteuse fait rebondir l'autobus. Le menton de Teresa se balance mollement contre la poitrine d'Ariane. Elle lit distraitement *Le nouveau manuel de méditation* pendant que son amie ronfle, appuyée sur son épaule. Après Jodhpur, elles ont continué leur chemin ensemble : Udaipur, Pushkar, Rishikesh. Elles se dirigent maintenant vers la région du Spiti, au sud-est. Leur objectif : se rendre jusqu'à Ki Gompa, un monastère perdu dans les montagnes où, selon les dires, elles pourront être hébergées et nourries à peu de frais. Le budget de Teresa est mince et, comme les journées à deux sont plus douces, Ariane adhère au projet.

Deux semaines plus tôt, à Pushkar, leur amitié s'était irrémédiablement scellée.

Comme toutes les villes indiennes, Pushkar est poussiéreuse, suffocante et grouillante de monde. Les touristes s'y font cependant plus rares que dans les grandes villes du Rajasthan.

Ici, les enfants les toisent comme si elles étaient des phénomènes de foire, d'étranges spécimens blancs débarqués par mégarde sur leur planète. Les gamins les suivent un peu partout dans la ville, quémandant des photos pour poser fièrement devant l'objectif. Leurs visages s'éclairent lorsqu'ils s'approchent de Teresa pour examiner leur portrait sur l'écran de son appareil numérique. Ils posent une main devant leur bouche pour camoufler leur sourire colossal et tirent sur les vêtements des étrangères, réclamant quelques roupies en hindi.

Le deuxième jour, à Pushkar, devant un stand de chai, les voyageuses sympathisent avec un groupe d'Italiens : deux garçons et une fille. Ils se donnent rendez-vous le soir venu à un restaurant recommandé par le *Lonely Planet*. Le guide touristique leur promet une des ambiances les plus festives de Pushkar ainsi que des lassis inoubliables. Ariane a déjà goûté la boisson à base de yogourt. Le goût très prononcé de lavande lui avait déplu. « C'est ce qui te resterait sur la langue après avoir léché les clavicules de ta grand-mère morte. » Teresa la fait traduire et rit : elles veulent (ré)essayer.

Le restaurant est perché au deuxième étage d'un immeuble peint en vert menthe. Les Italiens les attendent déjà sur la terrasse, une chope de bière à la main. Ils les accueillent de trois baisers sur les joues (gauche, droite, gauche). Teresa s'est entichée de l'un d'eux, un garçon d'une vingtaine d'années à l'apparence excessivement soignée. Il porte un polo griffé et, malgré la chaleur, des jeans étroits. Ses cheveux sont toujours peignés vers l'arrière, luisants de gel. Se lisser les cheveux en Inde, c'est à peu près aussi cohérent que de se promener en robe de bal dans le stationnement du métro Monk un lundi après-midi de pluie.

Une fois les masala dosa commandées, une crêpe traditionnelle du Sud, ils discutent voyages, rencontres et premières expériences. Les Européens racontent une de leurs soirées folles à Jodhpur au cours de laquelle ils ont partagé des bhang lassi avec le propriétaire d'un café. Teresa cligne des yeux, perplexe.

— *Bhang lassi... What's that?*

— *It's a very special type of lassi. Very popular,* explique l'Italienne en ricanant.

— *Really? But I haven't seen it on the menu!*

— *Ha! Ha! Ha! Because it's not on the menu. It's illegal. It's a lassi mixed with marijuana. Everyone tries it at least once in India.*

— *Really?*

— *Yeah... We should get one. Maybe they make some here.*

Le coup de cœur de Teresa se dirige vers le comptoir où se tient le serveur. Il se penche à son oreille pour lui chuchoter quelque chose. Son maniérisme et ses déhanchements langoureux laissent Ariane perplexe quant à son hétérosexualité. Elle en fait part à Teresa qui est convaincue du contraire: «Tous les Italiens sont comme ça. *Very seductive. Languorous.*» La conversation dure quelques secondes, puis il revient vers le groupe, l'air triomphant.

— *Five bhang lassis comin' right up! 250 roupies each. It's a very good deal. I asked him to make them really strong.*

Teresa secoue la tête, désolée. Sa santé demeure fragile et elle préfère s'abstenir. Elle a passé l'avant-avant-veille enfermée dans leur petite chambre à vomir de la bile.

L'Italien hausse les épaules et se tourne vers Ariane.

— *How 'bout you? You up for it?*

— *Yeah... why not.*

Vingt minutes plus tard, le serveur arrive avec cinq verres remplis d'un liquide qui ressemble à du lait caillé. La teinte jaunâtre de la mixture n'a rien d'attrayant, mais l'onctuosité sucrée du mélange surprend Ariane.

— *Wow! This is pretty good!*

— *Yeah, right? You almost can't taste the pot.*

Quinze minutes plus tard, les Italiens rient comme des fous. Teresa les accompagne dans leur délire, comme enivrée par un mélange qu'elle n'a même pas goûté. Ariane, inchangée, guette les premiers signes d'euphorie. Elle lorgne avec envie le cinquième verre intouché, celui destiné à Teresa. Les garçons en ont bu quelques gorgées, mais le verre est encore rempli aux trois quarts. Ariane s'apprête à vider son deuxième lassi quand Teresa l'arrête d'un geste.

— Mais peut-être que le mien était moins fort! Regarde-toi! T'as rien bu, pis t'as l'air plus stone que moi!

L'autre Italien l'encourage du menton.

— *Do it, girl! I'm sure they're not that strong.*

Elle avale le dernier verre d'un trait et s'essuie la bouche du revers de la main, grisée, à l'affût des premiers symptômes de la drogue sur ses neurones.

Un nouveau quart d'heure passe. Le groupe se tord de rire, bruyant, tandis qu'Ariane s'impatiente.

— *For Christ's sake, you guys! I still don't feel a thing! You sure there's pot in those shakes? Maybe ours were...*

Une vague de chaleur la soulève tout entière, d'un coup, la laissant étourdie et nauséeuse. Prise d'un haut-le-cœur, elle ferme les yeux, mais une onde suffocante l'emporte une fois de plus. La sensation n'a rien d'agréable. Elle se demande si son corps remue aussi violemment que son cerveau et tente de se calmer en se concentrant sur sa respiration : remplir ses poumons d'air, expulser l'air de ses poumons. Mais son esprit s'embrume et une marée revient la faire chavirer. Elle se sent perdre le contrôle de son corps. Ses jambes et ses bras deviennent flasques, cotonneux. Ses oreilles bourdonnent. De nouveau, une vague de chaleur la secoue et elle doit s'agripper au bord de la table pour s'empêcher de vaciller. Son souffle s'accélère, elle se cramponne de toutes ses forces. Teresa se tourne vers son amie.

— Qu'est-ce qui t'awrrive, Ari ? *You just turned green.*

Ariane tente d'ignorer les assauts de la drogue sur son corps, mais ils se font de plus en plus brutaux, de plus en plus rapprochés. Des contractions de *badtrips*.

— Fuck... Je me sens vraiment pas bien.

Teresa lui tend sa bouteille d'eau (« *Drink some water* »), mais Ariane en repousse le goulot, écœurée. Elle ne peut rien avaler. La chaleur revient, impitoyable, à intervalles réguliers, et des remous qui déferlent dans tout son corps l'enflamment des pieds à la tête. Ariane se sent chaque fois plus chancelante, comme prête à s'effondrer. Ses mains sont moites, une sueur froide lui mouille la nuque. Elle ferme les yeux, essayant désespérément de se recentrer, de retrouver le peu de concentration qui lui reste pour évacuer les effets du cannabis. Inspirer de l'air, souffler de l'air. *Come on, Ariane, t'es plus forte que ça.*

— *Teresa... Something's wrong. I really don't feel good.*

La main de son amie vient enserrer la sienne. L'Italienne s'exclame d'une voix forte, comme frappée d'une révélation géniale, qu'Ariane devrait se faire vomir pour faire sortir les lassis de son système. Les deux autres continuent de s'esclaffer, incapables d'interrompre leur fou rire dément, tandis qu'Ariane inhale longuement, les mains toujours accrochées à la table, les yeux fermés. Lorsqu'elle tente de les rouvrir, rien ne se passe. Noir total. Elle ne sait trop si c'est parce qu'elle n'arrive plus à desceller ses paupières ou si c'est qu'elle a carrément perdu la vue. Elle se met à haleter, pantelante. *C'est rien que de la mari, Ariane, c'est que de la mari, ça peut pas te tuer, c'est une drogue douce, tu mourras pas. Un badtrip, c'est rien qu'un badtrip.*

Elle sent des gens s'affoler autour d'elle, la voix de l'Italienne qui répète inlassablement de la faire vomir ; celle de Teresa est devenue incompréhensible dans le brouhaha ambiant. Des bras se posent sur ses épaules, des mains lui tâtent le front, deux doigts tentent vainement de s'enfoncer dans sa gorge. «*Hey! Let her go!*» Ariane ne sait plus si elle se trouve en position assise ou couchée. Ou peut-être est-elle encore debout. «Ari, ça va*? Let's get you home!*» Elle ne peut pas marcher. Elle ne pourra pas marcher. «*I can't walk, T. I'm fucking blind.*» Des larmes de panique inondent les joues d'Ariane. *Ça y est. Je vais crever, c'est sûr que je vais crever.* Quelqu'un lui caresse les cheveux en murmurant dans son cou : «*Don't worry, we'll bring you back to your room. Don't worry, I'm there. I'll take care of you. It will all be okay, I got you.*» C'est la voix de Teresa.

Puis, elle perd connaissance.

Le menton de Teresa dodeline doucement contre son épaule. L'épisode «Badtrip à Pushkar» la fait encore frissonner. L'après-midi tirait à sa fin lorsqu'elle s'était réveillée le lendemain. Une tache de vomi séché maculait le col de son t-shirt. On lui avait retiré ses chaussures. Son corps pesait une tonne, son estomac gargouillait et une migraine puissante lui triturait les méninges. Mais sa bienveillante amie était là, à ses côtés, encore endormie. Un ange. Elle l'avait veillée toute la nuit, remplaçant régulièrement les compresses glacées qui devenaient rapidement tièdes sur son front brûlant. Les Italiens, complètement intoxiqués, n'avaient pu aider Teresa à la ramener. C'était le serveur du restaurant qui avait quitté son poste pour aider son amie à la porter jusqu'au guest house.

— *Thank God that guy was there to help me. You looked so sick! I was so scared!*

— Une chance que TU étais là, T. Sérieusement, t'es la meilleure.

Teresa avait balayé du revers de la main ses longues excuses, qualifiant l'événement d'«*interesting once in a lifetime experience*». Et Ariane avait compris qu'elle était tombée sur un être extraordinaire.

Cher papa,

Aujourd'hui, j'ai marché dans les montagnes himalayennes de la vallée de Spiti. Tu aurais été pas mal fier de ta non-sportive de fille. Je suis partie du monastère de Ki pour me rendre jusqu'au village de Kibber. L'aller-retour m'a pris un peu plus de quatre heures. T'imagines un peu? Ta fille, hébergée par des moines bouddhistes, est allée se balader ce matin sur les flancs de l'Himalaya!

Je suis revenue en début d'après-midi. Le cuisinier m'avait gardé une portion de momos (des raviolis tibétains… c'est tellement bon, tu capoterais!). Il fait encore beau gros soleil et je me suis trouvé un coin pour t'écrire. Si on escalade le muret derrière le temple, on a accès à une jolie terrasse qui surplombe les montagnes. Ce que j'ai devant moi, papa, c'est tellement magnifique, tellement parfait, tellement beau, que ça me serre la gorge, que, quand je pense, quand je réalise que je suis vraiment ici, j'ai envie de pleurer de joie, de remercier le petit Jésus ou Allah ou toi. Je vais essayer de te décrire le paysage, mais ça sera pas à la hauteur. Il y a des choses qu'on peut que regarder. Parce qu'à les décrire, on risque de les gâcher. Mais peut-être que toi, d'où tu es, tu vois tout.

Tu les vois, les cumulus joufflus qui bougent vite au-dessus des montagnes ? Les couleurs qui changent sous le passage des nuages ? Les cimes lumineuses couronnées de neige ? Les banderoles multicolores qui flottent dans le vent, sous les toits ? Le long cours d'eau qui sépare la chaîne de montagnes en deux ? Est-ce que la vue est pareille de l'autre côté ? Tu sens l'air tellement pur ? Tellement pur qu'on a l'impression qu'il nous donne de nouveaux poumons ! Je suis un bébé en train de naître devant des choses belles.

Ki ressemble à une pyramide construite par des enfants. Le monastère est formé de petits bâtiments rectangulaires blancs. On dirait des boîtes en carton qu'on aurait empilées et réussi tant bien que mal à faire tenir en équilibre. Le temple se trouve tout en haut, au sommet des boîtes en carton. Le chant des moines résonne à longueur de journée. En fait, c'est pas vraiment un chant. Mais c'est quand même une musique.

En ce moment, je suis la fille la plus heureuse du monde. (Même si tu me manques.)

C'est étrange, le bonheur. Demain, je me sentirai peut-être triste, découragée, seule, angoissée. Mais là, tout de suite, aujourd'hui, maintenant, je suis pleine, tellement pleine et tellement bien. Pourquoi est-ce qu'on peut pas toujours se sentir comme ça ? Est-ce que c'est possible d'être bien en permanence ? Certains croient que si on vit pas de tristesse, on peut pas vraiment profiter du bonheur. Qu'au fond, il faut du laid pour voir le beau. Je suis pas sûre, papa. J'ai l'impression que, pour certaines personnes, c'est plus facile d'être heureux. D'être heureux plus souvent, plus longtemps. Maman et moi, on a de la difficulté à rester heureuses. Pour toi, c'était plus simple, non ? Est-ce que ça s'apprend, le bonheur ? Pourquoi il y a pas de mode d'emploi ? Genre un *Happiness for Dummies*. Ou une vidéo d'exercices. Ça aurait tellement été ton genre de m'acheter ça pour Noël.

Mais ça sert à rien de parler de demain, de quand je me sentirai peut-être moins bien. Ce que je veux que tu saches, c'est qu'en ce moment, tout est parfait. Je suis fière d'être ta fille. Je suis heureuse. Et je vais essayer d'être forte pour toi. Demain aussi.

Je t'aime tellement.

Ari

Après deux semaines, Ariane et Teresa s'étaient résolues à quitter Ki. Une dernière fois, elles avaient embrassé du regard les montagnes rocailleuses, le cours d'eau sombre, le ciel bleu. Elles avaient gravé leurs initiales dans un coin de leur dortoir humide (*T & A were here*), avaient salué Timo, le chef cuisinier, et serré les mains noueuses de leurs moines préférés. À l'aube le lendemain, elles avaient attrapé un bus pour Keylong. Les 11 heures de route intermittente les avaient épuisées. Ariane regrettait déjà son paradis monacal : la simplicité des silences, les journées vides et remplies de minuscules petits riens. Un trajet interminable les attendait encore entre Keylong et Leh.

Les bancs étroits étaient occupés par des groupes de trois ou quatre personnes qui trouvaient encore le moyen d'entasser des bébés entre leurs bras et leurs paquets. Ariane songeait au monastère et à ses boîtes en carton. *Peut-être qu'en Inde, l'équilibre fonctionne différemment. Peut-être que les lois de la gravité sont pas les mêmes.* Le mécanisme de la plupart des fenêtres étant brisé, elles restaient closes malgré les nourrissons qui hurlaient au milieu de la chaleur étouffante. Plusieurs Indiens faisaient le voyage debout, les mains agrippées au dossier des sièges bringuebalants.

Puis, à Keylong, impossible de trouver un autobus qui se rende jusqu'à Leh, la pointe nordique de l'Inde. Lasses de l'autobus, Ariane et Teresa auraient pu se réjouir de devoir se reposer quelques jours dans le petit village. Mais elles avaient déjà réservé un vol, deux semaines plus tard, de Leh à Delhi. Et elles avaient hâte de régler la partie désagréable du trajet. *Like ripping off a bandaid.* Ce devait être la dernière étape du voyage pour Teresa, tandis qu'Ariane ferait escale quelques jours dans la capitale avant de repartir vers le sud : Mumbai, Goa, Kerala. Elle aimait l'Inde. Elle voulait y rester longtemps. Elle aurait voulu que Teresa aussi reste longtemps.

Leh leur avait été présenté comme un incontournable, un arrêt obligé. «*Small and beautiful*», «*relaxed and welcoming*». Même si le trajet en bus pour s'y rendre promettait d'être long et difficile, on leur avait assuré que ça en valait la peine. Dans tous les cas, Teresa n'avait pas suffisamment de sous pour s'offrir l'aller et le retour par voie aérienne. L'autobus, ce serait donc. Au moins pour l'aller.

Avant de réserver leur vol Leh-Delhi, les deux amies ne s'étaient pas enquises de la météo à destination. Mais de lourdes averses arrosaient depuis peu le nord-est de l'Inde, région habituellement désertique. Les routes étaient devenues impraticables, la boue et les glissements de terrain empêchaient les bus bondés d'atteindre la région. Les voyageurs se retrouvaient bloqués dans des bourgades intermédiaires, à attendre que le temps se fasse plus clément. Ariane et Teresa ne firent pas exception.

Trois jours à Keylong à se tourner les pouces, à chercher une solution miracle pour pouvoir se déplacer au plus vite vers le nord. Teresa faisait preuve de patience, de calme, de pondération. Confiante, elle répétait : «*We can't be stuck here for a month ! Don't worry. It's going to stop raining soon. It has to!»* Ariane s'angoissait. Pour la première fois de sa vie, elle se sentait comme emprisonnée, entravée, soumise à une conjoncture sur laquelle elle n'avait aucun contrôle. Il n'y avait pas d'échappatoire possible. Elle ne pouvait rien faire. Seulement attendre. Ce sentiment d'impuissance lui paraissait intenable. Elle ne pouvait se sauver nulle part.

Après deux jours de pluie battante, le soleil se remit à taper. Fort. *Faites que la boue sèche, que les routes soient OK pour qu'on puisse partir à Leh.*

Il fallut attendre encore 48 heures pour qu'un conducteur de fourgonnette grassement payé accepte de remplir la mission: emmener Ariane et Teresa, un couple de touristes hollandais (qu'Ariane baptisa mentalement Hansel et Gretel) et trois Japonais (androgynes et, selon Teresa, bisexuels). Le chauffeur les avait avertis: il y aurait quatre cols à passer, dont un à plus de 5 000 mètres d'altitude, et rien ne garantissait qu'ils ne devraient pas s'arrêter dans un village pour quelques nuits si le parcours s'avérait encore trop glissant. Il s'engageait, néanmoins, à les rapprocher de Leh. Heureux de quitter leur prison de Keylong, les sept touristes s'entassèrent au petit matin dans la fourgonnette.

Après une montée laborieuse jusqu'au col de Baralacha La, ils s'arrêtèrent pour la nuit. La journée avait été éprouvante. À trois reprises, ils étaient restés bloqués durant plusieurs heures. Si leur camionnette, un 4 x 4, s'était débrouillée raisonnablement bien sur le sentier marécageux, d'autres avaient eu moins de chance. Bon nombre de voitures embourbées empêchaient les autres à leur suite de progresser. Chauffeurs et passagers se dépêchaient alors d'improviser une équipe qui dégageait le véhicule coincé. À chaque fois, une foule impressionnante de spectateurs regardaient la scène, chacun priant son dieu pour qu'on arrive enfin à les dépêtrer et pour repartir au plus vite.

C'est dans le village de Sarchu qu'ils passèrent la nuit. Pour quelques roupies, on leur avait loué une yourte où ils pourraient dormir.

Ariane n'avait pas sommeil. Teresa, elle, dormait profondément. Hansel ronflait près de Gretel. Les Japonais avaient préféré débourser 300 roupies de plus pour être hébergés dans une famille indienne.

Ariane pensait au lendemain. Demain, le soleil devait briller. Sinon, ils seraient pris à Sarchu, comme ils l'avaient été à Keylong. La perspective de rester au village sans bouger l'oppressait. Une angoisse profonde s'engouffrait dans sa poitrine et pesait sur sa cage thoracique. *C'est comme ça qu'on se sent quand on n'a pas de choix, j'imagine. Quand il faut juste attendre que ça passe et endurer.*

Le lendemain, le soleil brillait et ils repartirent. De la vapeur d'eau s'élevait du chemin terreux chauffé à bloc. Ils ne s'arrêtèrent qu'une fois le long du trajet. Une voiture indienne bouchait le passage dans un virage boueux. Les sept passagers sortirent de la fourgonnette, tandis qu'Asim, le chauffeur, déposait de grosses pierres contre les roues arrière de l'automobile, en guise de levier. En 10 minutes, la voie était libérée.

Ils gravirent facilement les deux cols suivants. Le plus haut avait un peu plus de 5 300 mètres de dénivelé. Les Japonais se plaignirent de maux de tête et la Hollandaise fut prise de vomissements. Incapable d'ouvrir la portière à temps, elle éructa alors que la voiture tournait encore, aspergeant Hansel au passage. Il régnait dans le 4 x 4 une odeur affreuse. Mais, pour le reste, l'équipe se portait bien. Tout le monde était impatient d'arriver à Leh.

Une fois passé le plus haut col de Taglang La, la route se mit à descendre. Il faisait nuit quand, à 70 kilomètres de leur objectif, des panneaux annonçant Leh sortirent du néant. Après toutes ces heures de pénible traversée, l'équipage était surexcité. Ils poussèrent des cris de joie devant les signaux prouvant qu'ils étaient enfin tout près. Ils partagèrent même un long fou rire lorsque Gretel pointa du doigt une enseigne sur laquelle était peint en jaune un «*Safety saves*» bien voyant sous la lune.

CQFD.

Ils n'étaient plus qu'à une vingtaine de kilomètres de Leh lorsque le conducteur commença à s'agiter sur son siège. On l'entendait marmonner en hindi d'une voix grave. Ses épaules s'étaient affaissées, son dos s'était voûté. Il ralentit brusquement. L'atmosphère devenue légère à l'annonce de Leh fut soudain écrasante. Les passagers encore éveillés l'interrogèrent, mais le chauffeur ne répondit rien, ponctuant seulement ses réactions physiques d'un «*I don't know*» excédé.

La route était éclairée par un clair de lune éblouissant. On aurait dit que des projecteurs de cinéma illuminaient le trajet. La voiture avançait excessivement lentement sur le parcours sinueux quand le chauffeur freina d'un coup.

Les yeux écarquillés, il plaqua une main contre sa bouche, comme pour étouffer un cri.

Inquiète, Ariane regarda Teresa. Elle chuchota:

— Mais qu'est-ce qui se passe?

— *No idea.*

Un des Japonais émergea de son coma pour demander:

— *Is this it? Are we in Leh?*

Un silence pesant s'abattit sur la fourgonnette. L'Indien gardait toujours une main sur sa bouche; Teresa alluma le plafonnier. Dehors, il n'y avait rien. Seulement le même désert rocailleux cerné de montagnes pointues qu'ils parcouraient depuis des jours.

Ariane saisit doucement l'épaule du conducteur.

— *What's happening? Why were we driving so slow? Why did we stop?*

Elle remarqua, étonnée, ses joues mouillées de larmes. Les yeux plissés de l'Indien dessinaient de petite ridules à la frontière de ses paupières.

— *Are you OK? Talk to me. Please!*

— *The villages...*

— *What villages?*

— *The villages... They're gone. My cousins... They live here... They used to live here.*

À Leh, il ne pleut pas. C'est une région désertique montagneuse. Changements climatiques? Coïncidence? En cette année 2013, la pluie avait battu tous les records à Leh.

C'est à Choglamsar que les plus gros dommages avaient été enregistrés. La ville avait été littéralement anéantie sous les éboulements.

On appelle ça un *cloudburst*. « C'est un peu comme si un seau d'eau géant nous était jeté du ciel », avait expliqué un géologue français.

Lorsqu'une pluie forte s'abat soudainement sur une montagne friable, la montagne s'écroule en miettes. Elle s'effrite et dégringole sur ce qu'il y a dessous.

Autour de Leh, sous les montagnes, il y avait des villages.

En passant devant Choglamsar, le chauffeur avait brusquement freiné. Deux semaines auparavant, on y aurait trouvé un village. Aujourd'hui, il n'y avait plus rien. Disparu, le village. Rayé de la carte.

La partie touristique de Leh, perchée un peu plus haut dans les montagnes, avait été épargnée. Le terminal de bus et la station centrale de communication, eux, étaient complètement démolis. L'aéroport avait été sérieusement endommagé. Plus un seul avion ne pouvait atterrir. Et encore moins décoller. Indiens et touristes étaient prisonniers à Leh.

L'angoisse revint, pleine, camper dans la cage thoracique d'Ariane, peser dans son ventre. Un instant, elle pensa au verglas de 1998. La panique, les vieillards morts de froid, les accidents dus à la pluie verglaçante, les pannes d'électricité. Elle se rappela le sentiment d'effroi qui l'avait envahie lorsque son père lui avait annoncé qu'ils demeureraient dans leur maison éteinte jusqu'à ce que tout rentre dans l'ordre. « On pourrait aller chez tes grands-parents, mais la route est trop glissante. Tu vas voir, Ari, ça va être super. On va faire des feux de foyer, manger de la fondue, jouer à des jeux de société... »

Elle avait détesté.

Le bilan des morts oscillait entre 150 et 700. Les Indiens préfèrent le terme *disparus*. Dans le tas, cinq touristes avaient passé l'arme à gauche. Deux durant un trek, emportés par la crue d'une rivière. Trois ensevelis sous les décombres d'un village voisin. Enterrés vivants. Enterrés morts, plutôt. La chute des montagnes sur les bâtiments les avait achevés. La nature avait fait d'une pierre deux coups. Les éboulements avaient joué à la fois le rôle de meurtrier et celui de fossoyeur.

Il n'avait suffi que d'une demi-heure. Entre minuit et minuit trente, plusieurs centaines de millimètres d'eau s'étaient abattues sur Leh. Il n'avait fallu qu'une trentaine de minutes. Au nord, au Pakistan, on parlait aussi d'inondations. Une tragédie similaire, mais à plus grande échelle. Plus de 1 500 morts. À côté, la catastrophe de Leh n'était qu'un triste imprévu.

Hier, la pluie s'est remise à tomber. Toujours pas de vols. Ni entrants ni sortants. Par contre, quelques voitures arrivent encore à destination. *Il y a trop de monde à Leh.* On pouvait encore y entrer (très, très difficilement), mais là, plus personne ne peut en sortir.

Jusque-là, Ariane avait toujours pu décider. Vu l'héritage de son père, vu que rien ne la retenait nulle part. Elle aurait pu le faire longtemps, tout le temps. Se plaire un instant à un endroit avant de repartir pour d'autres lieux. La vie dans la nouveauté, dans la réinvention. Pas d'attaches, pas d'obligations. Des vides pleins.

À Leh, c'est impossible. Enfin, ce n'est plus possible.

Et tous ces cadavres. Et la mort estampillée, tatouée sur les visages, et les yeux des Indiens qui pleurent sec. En filigrane, les non-dits de familles brisées, de bébés morts, les maisons détruites, les difficultés d'approvisionnement, l'isolement, l'isolement. Ils sont coupés du reste du monde. Leh abandonnée.

Je veux pas vivre ça. Je veux m'en aller.

Une chance que Teresa est là.

Sans elle, je crois que je deviendrais folle. J'ai l'impression que, quand mon amie est sur le point d'exploser, je suis là pour la contenir. Et l'inverse. L'inverse plus souvent, même. J'ai jamais autant voulu être ailleurs. Même quand j'étais chez moi. En fait, j'ai jamais autant voulu être chez moi. Ces temps-ci, je pense à ma mère. Ma mère à qui je n'ai presque pas écrit. Ma mère à qui, même si je voulais écrire maintenant, je ne pourrais pas. Je ne peux plus. Elle n'a aucune idée de ce qui se passe. Elle s'imagine sûrement encore qu'elle doit me laisser du temps. Pour respirer. Presque deux ans de respiration.

Câlisse.

Je capote. Je m'angoisse du dedans, du dehors. Je transpire l'angoisse, je n'en viens pas à bout.

Pourtant, je n'ai rien. Rien de grave à part mes intérieurs qui serrent des dents. Je ne suis pas à plaindre. Je ne suis ni morte ni souffrante. Je n'ai pas perdu ma famille d'un coup. Je suis vivante, en bonne santé et, si la tendance s'est maintenue, ma mère est vivante, à Montréal, en bonne santé.

Durant la journée, T et moi, on se tient occupées. La plupart des touristes se sont transformés en bénévoles pour la cause. Nous aussi. Les écoles, les hôpitaux, tout a été inondé, détruit, enseveli. On repêche ce qu'on peut. Des ordinateurs, des médicaments, des seringues, des pansements, des chaises. Munis de pots en plastique, de récipients improvisés, on fait la queue, on se place en file indienne (ha!) et on fait la chaîne.

D'un bout d'une file qui semble infinie, on remplit des bocaux de boue. De l'autre, en périphérie des dégâts, on déverse les récipients pleins. Puis, on se les repasse, vides, en sens inverse, et on en récupère de nouveaux remplis. Ça prend des heures et on n'a pas l'impression que ça sert à grand-chose. On a mal au cou, aux bras, au dos. Les Indiens nous sourient parce qu'on est étrangers et qu'on participe. La vérité, c'est qu'on ne le fait pas pour être courageux. On le fait parce qu'on n'a rien à faire. Parce qu'on a peur. Parce qu'on ferait n'importe quoi plutôt que de ne rien faire.

Hier, ils cherchaient des volontaires pour faire du bénévolat dans un village un peu plus loin, dans le coin de Spituk.

J'en avais ma claque des journées entières passées, courbée devant l'hôpital ou l'école, à trimballer des bocaux de boue. Et s'il se remettait à pleuvoir ? Et si un nouveau cloudburst venait réduire tous nos efforts précédents à néant ?

On ne savait pas d'avance ce qu'on devrait faire et Teresa préférait rester à Choglamsar. Elle s'entendait bien avec la petite équipe de locaux qui se rencontraient tous les jours au même endroit pour se diviser le travail. Mother Teresa.

On nous a fait monter à l'arrière d'un camion, dans une remorque qui portait les couleurs du drapeau indien : blanc, vert, orange.

On était cinq. Trois gars, deux filles. L'autre femme, plutôt vieille, devait être dans la soixantaine avancée. À Phyang, le camion s'est arrêté. Le village était beaucoup plus petit que celui de Choglamsar. Certaines maisons avaient été épargnées et se tenaient droites, bien ancrées, indemnes. De grandes étendues de terre nue leur faisaient face. Entre les maisons intactes, d'étranges petits monticules se dressaient. Les tombes des demeures ensevelies.

Un homme est venu au-devant du camion pour nous accueillir. Il baragouinait à peine quelques mots d'anglais. Heureusement que la femme plus âgée de notre groupe, Muriel, parlait un peu l'hindi. Après avoir distribué des pelles aux trois gars, l'Indien a attiré Muriel à l'écart. Je ne comprenais pas pourquoi ils discutaient loin de nous. De toute façon, ce n'est pas comme si on reconnaissait un seul mot d'hindi.

Le villageois gesticulait beaucoup. Il pointait le sol au loin, à une centaine de mètres. J'ai su que Muriel lui posait une question parce que sa phrase finissait en point d'interrogation, la dernière intonation plus aiguë, en attente. En guise de réponse, l'homme a montré une main, la paume ouverte, et soulevé le pouce de l'autre. J'aurais aimé me débrouiller en hindi, moi aussi.

Muriel s'est détournée de l'Indien pour revenir vers nous. Elle nous a expliqué qu'ils nous avaient fait venir pour retrouver les cadavres disparus.

Sa voix était traînante, ses yeux gris-bleu voilés. On aurait dit que son regard nous parvenait de derrière un papier parcheminé.

— You see, right there?

Elle a pointé le bout de terre que l'homme lui avait indiqué plus tôt. Il y avait une famille là-dessous. Trois adultes et trois enfants.

— They want us to find the corpses so that they can burry them respectfully. Religiously.

Un des gars, un Anglais, s'est agité.

— They want us to dig out bodies so that they can rebury them? It makes no sense!

Le groupe est resté silencieux un instant. Je comprenais l'Anglais. Pourquoi tant d'efforts pour des morts alors qu'on pouvait encore assister des êtres vivants?

D'un autre côté, je comprenais aussi le village. Les endeuillés. Ils devaient pouvoir dire au revoir, boucler la boucle, s'assurer qu'ils n'avaient pas seulement cauchemardé, confirmer leur nouvelle réalité devant les corps éteints, peut-être déjà pourris, les embrasser ou caresser une dernière fois leurs mains froides. Avoir le choix, finalement. Pouvoir faire quelque chose.

J'ai pensé à mon père. Il avait été nécessaire pour moi de le voir une dernière fois. De le toucher. Si j'avais pu l'empailler, je crois que je l'aurais fait. C'était injuste pour les villageois de Phyang. Pourquoi est-ce qu'ils ne pourraient pas aussi se recueillir devant leurs morts une dernière fois? J'ai parlé. Il fallait qu'on essaie. On était déjà sur les lieux, de toute façon. Il fallait au moins qu'on essaie.

L'Anglais a haussé les épaules et balancé une pelle sur ses épaules. Le reste du groupe l'a suivi. Avant de franchir les quelques mètres qui me séparaient du charnier, je me suis demandé si d'autres victimes moisissaient sous nos pieds. Peut-être une autre famille.

Sans outil, je me sentais toute nue. Démunie. Une joueuse de baseball sans bâton, sans gant, un peintre sans pinceau, une écrivaine sans mot. Je regardais nos hommes suer à grosses gouttes. Le sol avait séché depuis les inondations, la boue s'était transformée en argile bien dure. Ils devaient donner de grands coups de pelle pour en percer seulement la surface. Au bout de 15 minutes, notre hôte est revenu avec une bêche supplémentaire. Enfin, je pouvais participer. Pas que je sois particulièrement forte ou efficace, mais je préférais faire bouger des miettes de sol plutôt que rien du tout. Muriel nous supervisait, distribuant recommandations, et commentaires (« It looks less hard over there », « Take a break », « Drink some water »).

Vers midi, j'étais exténuée. On avait à peine creusé 50 centimètres de profondeur et environ deux mètres de diamètre. Le périmètre sous lequel la famille était ensevelie s'étendait au moins au quadruple de la surface qu'on avait couverte. Et c'était sans compter la profondeur à laquelle ils devaient se situer. À 13 heures, l'Indien a distribué des paranthas et du dahl. J'étais morte de faim, mais le soleil me donnait le tournis et j'ai avalé à grand-peine la nourriture pourtant délicieuse.

Vers le milieu de l'après-midi, un des gars de notre groupe a poussé un cri de victoire. Sa pelle s'était enfoncée de plus d'un mètre sous la terre et une odeur abominable s'élevait de la fissure.

Une odeur de mort.

À partir de là, on est tombés de plus en plus souvent sur des poches d'air. Les corps en décomposition dégageaient de l'oxygène, créant, par endroits, une espèce de vide entre le sol et la terre. Chaque fois, une senteur insupportable s'en dégageait. Et elle restait là, nous hantant d'images, nous faisant deviner les scènes d'horreur d'en dessous. On avait l'impression que l'odeur avait un esprit, qu'elle se faufilait sous notre peau, derrière nos orbites, nous contaminant chacun (et peut-être pour toujours) de puanteur cadavérique.

Je n'étais plus certaine de vouloir déballer les morts. Et puis, qu'est-ce qu'on ferait avec ? Il faudrait bien les tirer de là. Avec nos mains, nos bras nus ? Et leurs corps seraient dans quel état ? Je me suis souvenue avec un frisson du passage d'un roman, *La canicule des pauvres*, qui décrivait si bien le processus de putréfaction des corps, leurs changements de température, leur rigidité et l'envahissement d'insectes, de larves, de coléoptères dans toutes les cavités possibles et imaginables.

La journée avançait mollement et le soleil plombait toujours. Je n'en pouvais plus et je devais m'arrêter souvent, tellement j'étais essoufflée, endolorie. Muriel a offert de prendre la relève et une heure et demie plus tard, tout le monde était trop vanné pour continuer. On avait mal partout. Au cœur aussi. Coups de soleil, crampes musculaires, épuisement. J'avais envie de pleurer. De découragement et de fatigue.

On avait beau avoir élargi le diamètre et creusé deux mètres supplémentaires, les cadavres étaient encore loin. Muriel est allée chercher l'homme au village. Il est revenu avec elle quelques minutes plus tard. Il avait les traits tirés et la peau tannée par le soleil.

Il nous a serré la main à tour de rôle, puis a murmuré un timide « thank you » avant de nous quitter.

Muriel a récapitulé notre capitulation : elle lui avait expliqué que c'était trop dur. Qu'à ce rythme-là, on en aurait encore au moins pour quatre ou cinq jours. Et qu'en attendant, on pouvait se rendre plus utiles à Choglamsar et dans les environs. À aider des vivants. Peut-être que l'armée se chargerait de l'exhumation avec la machinerie lourde ? À coups de pelle, la tâche était pratiquement impossible. On perdait notre temps.

Tout le monde était d'accord. Les visages de mes coéquipiers semblaient s'être durcis comme la terre qui recouvrait les cadavres. Est-ce que le mien aussi avait changé ?

On devait marcher pour rejoindre la grande route. On y prendrait un des 4 x 4 qui faisait le trajet de Leh jusqu'aux villages avoisinants.

Avant, il fallait retourner au centre du village pour rendre les pelles empruntées. Le sentiment de défaite était encore plus cuisant que nos nuques cramoisies. On n'avait servi à rien. Quelques mètres devant nous, au pied d'une des maisons épargnées, de vieilles femmes formaient un cercle. Elles étaient assises à même le sol et, enroulées dans leur sari poussiéreux, elles discutaient joyeusement. Une d'entre elles nous a pointés du doigt, la bouche ouverte sur un sourire édenté, et nous a fait signe de nous approcher. Elle a versé du chai bouillant dans des petits gobelets d'argile. On l'a bu du bout des lèvres en observant les femmes. Elles aussi nous étudiaient, curieuses. Leur regard était sombre et lumineux.

Une fois le thé terminé, on s'est levés pour partir et on les a remerciées. La dame qui nous avait interpellés m'a arrêtée d'un geste. Elle m'a prise par les épaules pour arrimer ses yeux aux miens. On s'est fixées l'une l'autre un instant en silence. Puis, tout naturellement, ses bras forts m'ont enlacée. J'ai plongé dans la cachette de son sari. Les autres attendaient, alors j'ai dit «bonne chance», mais elle m'a retenue une dernière fois pour passer ses doigts noueux sur ma joue. C'était doux et je me suis sentie un peu mieux.

Cher papa,

Je sais pas trop quand je pourrai repartir. Teresa et moi, on a déjà notre billet d'avion en poche. Normalement, on devrait décoller dans cinq jours pour Delhi. L'aéroport est toujours fermé, mais les travaux vont bon train. Il devrait rouvrir dans deux-trois jours.

On entend toutes sortes de rumeurs. Certains pensent que la pluie va s'abattre de nouveau sur la région. Des illuminés pensent que c'est la fin du monde qui les attend. Ceux-là se réfugient au temple Namgyal Tsemo, au sommet de la plus haute colline de Leh. Ils sont convaincus que c'est le seul endroit où ils ne risquent plus rien. Selon moi, ils ont surtout plus de chances de crever de froid ou de faim.

Trop de gens s'entassent à Leh. Ceux qui sont arrivés récemment n'ont pas pu repartir et ceux qui devaient repartir sont restés pris sur place. Conséquemment, le prix des hôtels a triplé, même quadruplé. Ça m'enrage. Faire du profit sur le dos d'une catastrophe, je trouve ça vraiment dégueulasse. En même temps, ils sont dans un pétrin pas possible. S'ils étaient pauvres avant, alors maintenant, ils sont... Je sais pas ce qu'ils sont.

Papa, je crois que mon voyage tire à sa fin. Enfin, si je peux un jour partir d'ici. Je croyais continuer longtemps comme ça. Même que je pensais me trouver des nids temporaires jusqu'à l'infini.

Mais après ça, je peux plus. C'est pas parce qu'on se sauve qu'on devient invincible, hein ? Pas parce qu'on fuit qu'on est à l'abri.

Beaucoup de gens sont morts. J'ai vu des cadavres. Ils étaient pas comme le tien. Ils puaient. C'étaient des inconnus, mais ça faisait mal quand même.

Je dois rentrer. Peut-être que je pensais que voyager m'aiderait à t'oublier. À oublier maman, à oublier Diane, à oublier tout ce qui m'attend, à oublier la vie, en quelque sorte. Finalement, non. Vous êtes là, toujours. Et même si c'est dur de l'admettre, je pense que je m'ennuie. Pas juste de toi. De maman aussi. De mes amis. De mon monde.

Parfois, je t'imagine m'observer et je me demande : qu'est-ce qu'il pense de tout ça ? Tu as toujours été plutôt compréhensif, mais là, je sais pas comment tu réagirais. Tu me dirais peut-être : « Pousse, mais pousse égal, Ari ! C'est fini, les vacances ! » Ou tu me chanterais la toune de Jean-Pierre Ferland : « Envoye, envoye, envoye à maison ».

Étonnamment, une partie de moi est excitée à l'idée de rentrer. Mais une autre (grosse) capote complètement. J'ai pas encore répondu à mes pourquoi, à mes comment, à mes plus tard. Bref, j'ai pas trouvé de réponses. Mais peut-être qu'on trouve jamais et qu'on cherche toujours. Peut-être que c'est pas important de savoir, finalement.

Je sais pas tant si je suis prête à rentrer ou si c'est surtout que j'en peux plus d'être ici. Mais une chose est sûre : je suis prête à revoir ceux qui m'aiment.

Toi, tu seras plus là. Ça va toujours me faire mal. Toute ma vie. En même temps, chaque jour qui passe, je suis un peu plus fière d'être ta fille et je te sens un peu plus là, en moi. Peut-être que c'est ma responsabilité de te garder, de me souvenir et de vivre avec ce qui me reste.

Ta fille à toi,

Ariane

J'ai encore dû téléphoner à Diane pour qu'elle me vire de l'argent par Western Union. Je n'avais plus suffisamment de sous dans mon compte pour le billet Delhi-Montréal.

Elle a semblé soulagée par l'annonce de mon retour. Elle a soupiré : « Il était temps, Ariane. »

En escale à Londres, j'avais plus de deux heures à tuer avant mon vol pour Montréal. Je me suis acheté une énorme brioche à la cannelle, un grand chocolat chaud et j'ai posé mes fesses sur une banquette recouverte d'une housse plastifiée vert forêt. Devant la pâtisserie dégoulinante, j'ai pensé à Louis C.K., un humoriste que Teresa m'avait fait découvrir en Inde. Nos deux derniers jours ensemble à Leh, Internet était enfin rétabli et on passait des heures dans un cybercafé, un écouteur dans l'oreille, l'autre bout branché sur la tour de l'ordinateur, à écouter des sketches d'humour qui prenaient une éternité à loader.

Le moins qu'on puisse dire, c'est qu'on en avait besoin. Dans un de ses sketches, Louis C.K. monologue à propos des Cinnabuns : « Six foot high cinammon swirl made for one sad fat man... Even if you have a vagina, you are a man if you're eating a cinnabun. » J'avais vu le signe Cinnabun de loin dans l'aéroport. Il m'en fallait un. Géant gâteau cannelé noyé sous une montagne de glaçage blanc trop sucré (qui, selon C.K., ressemble à du sperme chaud – « hot cum »). La fin de deux ans d'exil, ça se fête. Au sperme chaud.

Je vais m'ennuyer de T. J'ai ses coordonnées aux États. J'espère la revoir, un jour.

Là, je suis dans l'avion. Pour Montréal. Je n'y ai pas mis les pieds depuis ce qui me semble être une éternité. Avant de prendre l'avion, je me suis acheté un cahier. Pas pour dessiner, mais pour écrire. Pas pour écrire à mon père ou à ma mère, mais juste pour moi.

Un homme, robuste et souriant, arrête son chariot devant la rangée F.

— *You want to drink something?*

— *Yes. Coca-Cola, please.*

Le second chariot, mené par une jolie blonde trop maquillée, imite le premier.

— *Beef, chicken or veg?*

— *Beef, please.*

L'hôtesse de l'air dépose un repas compartimenté devant Ariane. Tout est fabuleusement divisé : la petite salade, le petit dessert jaune-blanc, les morceaux foncés de viande, le riz. À sa gauche, un Indien déchire le plastique contenant son plat végétarien.

Sa mère l'attendra à l'aéroport. Denise.

Son cœur chavire à cette pensée. Puis, il se calme légèrement en se remémorant la soirée que M-C et Jules lui ont organisée le lendemain de son arrivée.

La première chose que je ferai, c'est de la prendre dans mes bras et de lui dire que je l'aime.

Elle branche ses écouteurs dans l'appuie-bras du siège et choisit la station 5. *Classic rock.* C'est une vieille chanson de Peter Gabriel.

Climbing up on Solsbury Hill
I could see the city light
Wind was blowing, time stood still
Eagle flew out of the night
He was something to observe
Came in close, I heard a voice
Standing stretching every nerve
Had to listen had no choice
I did not believe the information
I just had to trust imagination

My heart going boom boom boom
"Son," he said "Grab your things,
I've come to take you home."

Ariane ferme les yeux, entre ciel et terre, heureuse.
Elle voudrait ne jamais atterrir.

Un merci tout spécial à ma fée-marraine,
Denise Brassard.

Table des matières

Suivez-nous

Achevé d'imprimer en janvier 2016
sur les presses de l'imprimerie Marquis-Gagné
Louiseville, Québec